Collection **marabout**

LIBRAIRIE QUÉBÉCOISE
1454, AMHERST 848-9388

Afin de vous informer de toutes ses publications, **marabout** édite des catalogues régulièrement mis à jour. Vous pouvez les obtenir gracieusement auprès de votre libraire habituel.

© 1987, N. Branden, Bantam Books, 666, Fifth Avenue, New York 10103.
© 1992, **Marabout**, Alleur (Belgique) pour la traduction française

Toute reproduction d'un extrait quelconque de ce livre par quelque procédé que ce soit, et notamment par photocopie ou microfilm, est interdite sans autorisation écrite de l'éditeur.

Nathaniel BRANDEN

Ayez confiance en vous

*Traduit de l'américain
par Nathalie Pacout*

Je tiens à remercier ma femme, Devers, non seulement pour son aide inestimable, mais aussi pour son travail novateur en matière de psychologie subconsciente. Si j'ai compris l'importance du subconscient dans l'élaboration de la confiance en soi, c'est en grande partie grâce à elle.

Sommaire

Préface

« *Il ne m'est pas facile d'être amoureux ou de donner de l'amour*, dit un professeur que je connais, *car au fond de moi, je ne me sens pas digne d'amour.* »

« *Quoi que je fasse*, dit une mère de trois enfants, professeur de lycée, *il y a toujours une petite voix en moi qui me dit que je ne suis pas assez comme ci ou pas assez comme ça. Je n'éprouve pas beaucoup de joie dans ce que je fais car je m'épuise à me mettre constamment à l'épreuve.* »

« *Essayer de faire quelque chose, à quoi ça sert ?*, dit un adolescent malheureux. *J'ai toujours l'impression que les autres savent des choses que je ne sais pas et ne pourrais jamais savoir. C'est comme si j'étais né avec quelque chose en moins, quelque chose que tous les autres ont.* »

Le bonheur me fait peur, dit un homme qui a un problème d'alcool. *J'ai le sentiment que si je suis heureux, quelque chose de terrible va m'arriver. Aussi, lorsque les choses vont trop bien, je prends un verre, puis un autre, et très vite rien ne va plus, mais au moins je n'ai plus si peur. D'une certaine manière, il me semble avoir davantage le contrôle de moi-même, je sais à quoi m'attendre et je n'hésite pas à agir. »*

« *Je sais que j'ai beaucoup trop de relations sexuelles avec des hommes différents,* dit une femme mariée et divorcée deux fois. *Pendant quelques minutes, quand je suis dans les bras de quelqu'un, j'ai l'impression de compter pour lui, d'avoir de la valeur. Mais c'est de l'auto-dépréciation, et je le sais. Après, je me sens encore plus seule qu'avant, le mépris de moi-même s'accentue et me conduit dans les bras d'un autre. Comment puis-je trouver une issue ? Comment arrêter d'agir ainsi ? Comment apprendre à m'aimer ? »*

Comment se bâtit la confiance en soi ? Comment interrompre le processus qui nous entraîne à avoir des comportements auto-destructeurs générés par le manque de confiance en soi ? Voilà les questions auxquelles ce livre répond.

J'ai commencé à comprendre que ce livre était nécessaire lors de mes interviews après la sortie de mon précédent livre, *Honoring the Self*. On me disait toujours la même chose : « *Docteur Branden, vous avez exposé très clairement le rôle capital dans la vie de l'estime de soi, et les ravages provoqués par une mauvaise image de soi. Mais en termes simples, que peut-on faire, sans l'aide d'un psychothérapeute, pour arriver à s'estimer davantage ? Que peut-on faire pour croire davantage en soi-même, se faire plus confiance et se porter donc en meilleure estime ? »*

J'ai compris que je devais écrire un autre livre sur la confiance en soi. Non pas sur la théorie de la confiance en soi, mais sur son prolongement essentiel : la pratique. Le principal souci de ce livre est d'**indiquer les actes**, physiques ou psychologiques, qui **améliorent la confiance en soi ou la détériorent**.

Les différentes méthodes que je préconise ici pour renforcer sa confiance en soi ont été mises en pratique par les milliers de patients qui sont venus me consulter depuis trente ans que je suis psychothérapeute. D'un point de vue plus personnel, je les ai testées sur moi-même, dans mon souci constant de savoir où j'en suis. J'ai même constaté que j'avais une plus ou moins grande estime de moi-même selon mon **degré d'implication** dans les principes ou les actes indiqués dans ce livre. Je n'écris pas en observateur distant, loin de la réalité concrète, mais en homme qui a réellement vécu tout ce qu'il écrit. Les idées exposées ici donnent d'excellents résultats !

Si votre but est d'améliorer votre confiance en vous-même et de vous respecter davantage, ce livre s'adresse à vous.

Toutefois, comme il propose une ouverture sur l'action, comme il indique des **exercices spécifiques** et explique en détail les comportements qui, dans la vie de tous les jours, visent à renforcer l'estime de soi-même, ce livre s'adresse tout aussi bien aux professionnels. En effet, les psychothérapeutes savent à quel point, dans notre profession, nous sommes à l'affût de procédés qui permettent de modifier une médiocre image de soi-même. J'espère qu'au cours de leurs consultations, ils choisiront les outils que je propose ici.

I

L'IMPORTANCE DE L'ESTIME
DE SOI

La clef du succès

La façon dont nous nous percevons a une influence cruciale sur tout ce que nous vivons, aussi bien en ce qui concerne notre comportement dans le travail, en amour, dans notre sexualité, qu'en ce qui concerne notre manière d'agir en tant que parents ou nos ambitions. Nos réactions envers les événements de notre vie quotidienne sont modelées par l'image que nous avons de nous-mêmes. **Notre vie est la projection de notre vision intime de nous-mêmes.** C'est pourquoi l'estime de soi est la clé du succès ou de l'échec.

Elle est essentielle aussi pour se comprendre soi-même et comprendre les autres.

Mis à part les problèmes qui ont une origine organique, je ne connais aucune difficulté psychologique, que ce soit l'anxiété, la dépression, la peur de l'intimité ou de la réussite, l'abus d'alcool ou de drogue, les échecs scolaires ou professionnels, la violence envers sa femme ou ses enfants, les dysfonctionnements sexuels, l'immaturité émotionnelle, le suicide ou la violence criminelle, qui ne soit liée au manque de confiance en soi. De tous nos jugements, le seul réellement essentiel est celui que nous portons sur nous-mêmes. L'estime de soi est la condition *sine qua non* pour réussir sa vie.

Mais comprenons bien de quoi il s'agit. L'estime de soi se compose de deux éléments : la conscience de sa compétence personnelle et celle de sa propre valeur. En d'autres termes, l'estime de soi allie la *confiance* en soi et le *respect* de soi. Elle est le reflet du jugement implicite que vous portez sur votre capacité à réagir aux enjeux perpétrés par la vie (à comprendre vos problèmes et à les maîtriser) et sur votre droit au bonheur (respecter vos intérêts et vos besoins, et les défendre).

Avoir confiance en soi, c'est se sentir approprié à la vie, c'est-à-dire avoir la compétence et la valeur mentionnées plus haut. En revanche, manquer de confiance en soi, c'est se sentir inapproprié à la vie. Se sentir à côté de la plaque, non pas à cause d'un problème en particulier, mais d'une façon générale, en tant que personne. Avoir une confiance en soi moyenne, c'est osciller entre le sentiment d'aptitude et d'inaptitude, entre le fait d'être la bonne personne ou pas, et de faire apparaître cette inconsistance dans son comportement, agissant tantôt de façon sage, tantôt de façon aberrante, ce qui renforce encore l'impression d'incertitude.

Un droit pour tous

La capacité d'avoir une confiance en soi saine et de se respecter est inhérente à notre nature puisque *la capacité de penser est à la base de notre compétence*, et le fait même que nous soyons en vie implique notre *droit à la recherche du bonheur*. Dans l'idéal, chacun devrait pouvoir jouir d'une confiance en soi à toute épreuve, croire en sa capacité de réflexion et être persuadé que le bonheur peut s'atteindre. Mais malheureusement, un grand nombre de personnes ne connaissent pas cela. Elles souffrent d'un sentiment d'inaptitude, d'insécurité, elles doutent d'elles-mêmes, se sentent coupables et ont peur de participer pleinement à la vie. Elles ont l'impression de ne pas être assez comme ci ou comme ça. On n'arrive pas toujours à repérer ce type de sentiments, mais ils sont là.

Au cours de notre croissance, et dans le processus même de la vie, les occasions qui nous empêchent d'avoir une image positive de nous-mêmes sont nombreuses. Il se peut d'ailleurs que nous n'arrivions jamais à une vision optimiste de ce que nous sommes à cause de l'influence négative des autres, ou parce que nous avons failli dans notre honnêteté, notre intégrité, notre responsabilité, notre autorité ou bien dans notre façon d'agir.

Toutefois, l'estime de soi est une affaire de degré. Je n'ai jamais rencontré personne manquant totalement d'estime de soi, ni personne ne pouvant encore affermir la sienne.

Arriver à s'estimer davantage, c'est affirmer sa conviction que l'on est apte à la vie, que l'on a la valeur nécessaire pour avoir droit au bonheur, et donc que l'on peut affronter la vie avec plus d'assurance, de générosité et d'optimisme, ce qui nous aide à atteindre nos buts et à réussir ce que nous entreprenons. S'estimer davantage, c'est accroître sa capacité d'être heureux.

En comprenant bien cela, nous comprenons que nous avons tous besoin de cultiver cette estime de nous-mêmes. Inutile de nous détester quand nous pouvons apprendre à nous aimer davantage. Nous n'avons pas à nous sentir inférieurs pour vouloir jouir d'une plus grande assurance. Nous n'avons pas besoin de connaître la misère pour vouloir augmenter notre capacité au plaisir.

• Plus nous avons confiance en nous-mêmes, et mieux nous sommes armés pour **affronter les difficultés** de la vie. Plus nous avons de ressort, et mieux nous pouvons résister au désespoir et à l'échec.

• Plus nous avons confiance en nous-mêmes, et plus nous avons de chances d'**être créatifs** dans notre travail, c'est-à-dire réussir au mieux de nos possibilités.

• Plus nous avons confiance en nous-mêmes, plus nous avons de l'**ambition**, pas seulement d'un point de vue professionnel ou financier, mais également pour ce que nous attendons de la vie, au niveau émotionnel, créatif et spirituel.

• Plus nous avons confiance en nous-mêmes, plus nous avons de chances d'établir des **relations constructives avec les autres**, puisque la tendresse appelle la tendresse, la prospérité attire la prospérité, et puisqu'être dynamique et chaleureux est plus séduisant que d'être superficiel et profiteur.

• Plus nous avons confiance en nous-mêmes, plus nous avons tendance à **traiter les autres avec respect, générosité et bonne volonté**, puisqu'ils ne représentent pas pour nous une menace et que nous ne nous sentons pas « *des étrangers terrorisés dans un monde que nous n'avons pas créé* » (comme le dit le poème d'A.E. Housman) et puisque, enfin, le respect de soi est essentiel pour pouvoir respecter les autres.

• Plus nous avons confiance en nous-mêmes, et nous estimons, plus nous éprouvons de **joie du simple fait d'exister**, de nous réveiller le matin et de nous sentir vivre à l'intérieur de notre corps.

Voici donc quelles sont les récompenses offertes par la confiance en soi et le respect de soi-même.

Dans mon précédent livre, *Honoring the Self*, j'ai

exposé en détail la corrélation qui existe entre les deux. J'espère qu'il est bien clair pour tout le monde que si nous voulons étendre le champ de nos possibilités, et ainsi transformer la qualité de notre expérience, nous devons d'abord nous estimer davantage.

Être soi-même

Approfondissons encore ce qu'implique l'estime de soi.

A quelque niveau qu'elle se situe, c'est **une expérience intime**. Elle existe au plus profond de nous-mêmes. C'est ce que JE pense et ce que JE ressens à propos de moi-même, ce n'est pas ce que quelqu'un d'autre pense ou ressent à mon sujet.

Les adultes ont un rôle capital à jouer en ce qui concerne la formation de l'estime que les enfants se portent à eux-mêmes, par leur façon de les respecter, de les aimer, de les valoriser et de les encourager à se faire confiance. Mais même à l'époque de notre enfance, ce sont **nos choix** et nos décisions propres qui ont déterminé notre future estime de nous-mêmes. Nous sommes loin d'accepter passivement la vision que les autres ont de nous. En effet, quelle qu'ait été notre éducation, nous savons qu'en tant qu'adultes, le problème se trouve entre nos mains.

Personne ne peut respirer ou penser à notre place, et personne ne peut faire à notre place l'expérience de la reconnaissance et de l'estime de soi.

Je peux être aimé de ma famille, de mon conjoint et de mes amis, sans pour autant m'aimer moi-même. Je peux faire l'admiration de mes collègues de travail sans avoir conscience de ma valeur personnelle. Je peux donner de moi l'image de l'assurance et de la pondération, tromper tout le monde, et pourtant frémir en secret à cause de mon sentiment d'inaptitude.

Je peux combler les attentes des autres sans pour autant satisfaire les miennes. Je peux remporter des honneurs et pourtant avoir l'impression de n'avoir rien fait pour cela. Que des millions de gens m'adorent ne m'empêcherait pas de me réveiller le matin avec un sentiment de vacuité et de fraude.

Atteindre la réussite sans réussir à s'estimer, c'est se condamner à vivre comme un imposteur qui attend dans l'angoisse le moment où il sera démasqué.

Les félicitations des autres ne peuvent bâtir notre estime de nous-mêmes, ni d'ailleurs la connaissance, le talent, les biens matériels, le mariage, les enfants, les actes charitables, les conquêtes sexuelles ou les interventions de chirurgie esthétique. Ces différentes choses peuvent parfois nous réconforter provisoirement, ou nous aider à mieux vivre certaines situations, mais le confort n'est pas l'estime de soi.

Le drame, c'est que trop de gens cherchent ailleurs qu'en eux-mêmes l'assurance et le respect de soi dont ils ont besoin. Nous verrons plus loin que l'estime de soi se conçoit comme une sorte d'accomplissement spirituel, c'est-à-dire comme une victoire sur l'évolution de la conscience. En comprenant l'estime de soi de cette façon, dictée par la conscience, nous réalisons à quel point il est insensé de croire qu'en se débrouillant pour donner aux autres une image positive de soi-même, on a forcément une bonne image de soi. Arrêtons de nous leurrer en nous disant : « *Ah ! Si je pouvais avoir une promotion...*, ou *si seulement je pouvais me marier et avoir des enfants..., si je pouvais être considéré comme le meilleur dans mon domaine..., si seulement je pouvais m'offrir une voiture plus puissante..., si je pouvais écrire un nouveau livre... créer ma société... rencontrer l'amour... obtenir une médaille... briller par ma générosité... etc., etc., ... alors, je me sentirais vraiment en paix avec moi-même.* » Si nos quêtes sont irrationnelles, nous serons toujours à la recherche de quelque chose de plus.

Si l'estime de soi se définit par la conviction que je suis « approprié » à la vie, l'expérience de ma compétence et de ma valeur personnelle est le reflet de ma conscience, de mon esprit qui croit en lui-même, et personne d'autre que moi ne peut générer cette expérience à ma place.

En considérant la vraie nature de l'estime de soi, nous réalisons qu'elle n'est **ni compétitive, ni comparative**. La véritable estime de soi ne s'exprime pas par la glorification de soi au détriment des autres, ni en cherchant à se montrer supérieur aux autres, ni enfin en les rabaissant pour mieux les dominer. L'arrogance, la vantardise et la surestimation de nos capacités reflètent une estime de soi défaillante plutôt qu'excessive, comme le croient la plupart des gens.

Une des caractéristiques les plus significatives d'une estime de soi saine, c'est de n'être en guerre ni avec les autres, ni avec soi-même.

L'importance d'une saine estime de soi réside dans le fait qu'elle est à la base de notre aptitude à réagir aux opportunités de la vie de la façon la plus positive et dynamique possible, aussi bien dans le travail, qu'en amour ou pour nos loisirs. Elle est aussi à la base de cette sérénité de l'esprit qui permet de jouir réellement de la vie.

II

L'IMAGE DE SOI

Notre image de nous-même correspond à ce que nous sommes profondément, dans notre conscient et notre subconscient. Elle reflète nos caractéristiques physiques et psychologiques, nos qualités et nos engagements, et par-dessus tout l'estime que nous nous portons.

De cette image dépend notre destinée. C'est-à-dire que notre perception intime de nous-mêmes **influe sur nos décisions** et nos choix importants, et donc **façonne le type de vie** que nous créons pour nous-même.

➡ Les exemples suivants vont vous permettre de clarifier la façon dont l'image de soi affecte les pensées et les actes. Lisez ces histoires en ayant cela présent à l'esprit.

S'accepter pour s'affirmer : Jane

Jane avait 34 ans, elle était vendeuse dans un grand magasin. Bien qu'elle ait eu une relation suivie avec un homme qu'elle qualifiait de «*confortable*», elle ne s'était jamais mariée. La première fois que nous nous sommes vus, elle m'a expliqué qu'elle n'avait à se plaindre de rien en particulier, si ce n'est d'un état général d'insatisfaction, du sentiment que la vie devait certainement en offrir plus qu'elle ne le faisait. Elle me dit : «*J'aimerais me comprendre mieux et apprendre à mieux affirmer ma volonté.*»

Je lui ai alors demandé de fermer les yeux et de laisser libre cours à son imagination en suivant mes propos :

«*Imaginez que vous vous trouvez au pied d'une montagne, celle que vous voulez. Il y a un sentier qui mène au sommet. Vous commencez à marcher. A mesure que vous grimpez, vous ressentez l'effet dans les muscles de vos jambes. Y a-t-il des arbres et des fleurs sur les pentes de cette montagne ?*

... Pendant votre ascension, vous prenez conscience de quelque chose d'intéressant. Tous les doutes, les sentiments d'insécurité et les peurs de votre vie quotidienne semblent disparaître, comme si vous vous débarrassiez d'un excédent de bagages. Plus vous montez haut et plus vous vous sentez libre. En arrivant au sommet, vous avez l'impression d'être légère comme une plume. Votre esprit est clair. Vous vous sentez plus forte, plus sûre de vous-même que jamais. Prenez conscience de cet état et explorez-le. L'aimez-vous ? Que ressent votre corps quand votre esprit est libéré de ses doutes et de ses peurs ?

... A présent, vous êtes à quelques pas du sommet. Puis vous êtes au sommet et contemplez le monde. Qu'éprouvez-vous ? Quel type de relation entretenez-vous maintenant avec le monde ? Comment est-ce de ne

*plus avoir ces habituels sentiments d'insécurité ?
Arrêtez-vous quelques instants sur ces nouvelles sensations et analysez-les.*

*... A présent, faites demi-tour et amorcez la redescente.
En suivant le sentier qui vous ramène dans la vallée,
avez-vous toujours cette impression de force et de
liberté, ou s'amenuise-t-elle à mesure que vous descen-
dez ? Sentez-vous de nouveau peser sur vos épaules les
poids qui vous oppressaient ? Et en arrivant à votre
point de départ, voyez-vous le monde d'un œil neuf ?
Qu'éprouvez-vous ? Qu'est-ce qui a changé ? Vous
sentez-vous différente ? »*

Après un court instant, elle a ouvert les yeux. « *J'ai
adoré le moment où j'étais au sommet. Je me sentais
moi-même et je n'ai pourtant jamais été comme cela.
Mais je me sentais seule et j'avais peur. Puis, j'ai
entendu la voix de ma mère : "Tu n'appartiens pas à
ce monde-là". Sur le chemin du retour, j'ai senti mes
vieux tourments revenir, mais pas complètement.
Quelque chose était différent. A un moment, là-haut,
je me suis sentie libre... Vraiment libre. J'aurais pu
faire n'importe quoi. Je savais que rien ne pourrait
m'arrêter, à part moi-même. Je le sentais vraiment, je
le vivais. Ce n'était pas une théorie, mais une réalité.
Un état que j'ai ressenti dans tout mon corps, en pleine
conscience. J'étais dans une sorte d'ivresse, mais une
ivresse qui ne me cachait pas la réalité. C'était comme
un nouveau souffle.*

— *Toutefois*, ai-je suggéré, *aller plus loin signifierait
peut-être, pour vous, d'aller à l'encontre de votre
mère ? De vous opposer à sa vision des choses ?*

— *Ce serait, je crois, de ne plus être sa fille, tout simplement.*

— *Vu sous cet angle, est-ce que le choix est difficile à
faire ?*

— *Puis-je arriver à m'aimer si ma propre mère ne m'aime pas ?*

— *Le pouvez-vous ?*

— *Pourquoi pas. D'ailleurs, peut-être apprendra-t-elle à le faire. Peut-être, en fait, s'adaptera-t-elle à moi plutôt que moi à elle.*

— *Avez-vous jamais pensé que le voyage d'un héros commence forcément par son départ de chez lui, brisant les liens qui l'enchaînent à sa famille ?* »

Le but de mon travail avec Jane était de lui apprendre à être **consciente d'elle-même** (consciente de ses sentiments, de ses désirs, de ses pensées et de ses capacités) à **s'accepter** (sans désavouer son expérience personnelle ni être en lutte avec elle-même) et à **s'affirmer par ses actes** (assurance), ce qui sont les principaux piliers de l'estime de soi. Jane s'est servie de l'image du voyage pour s'aider à rompre ses liens avec sa famille. Cela lui a fourni de nouvelles perspectives. Au bout de quelques mois de thérapie, elle m'a dit qu'elle avait atteint son but et que sa thérapie était donc terminée.

Six mois plus tard, j'ai reçu d'elle une lettre chaleureuse dans laquelle elle me disait qu'une semaine après la fin de sa thérapie, elle avait quitté son travail et ouvert une boutique, un rêve qu'elle avait depuis longtemps mais n'osait pas réaliser. Son affaire marchait très bien. « *Dans notre famille, les femmes n'ont pas besoin d'avoir de tête pour travailler, mais j'en ai fini, maintenant, avec toutes ces imbécillités. Ce que j'ai retenu de ma thérapie, c'est que ma vie m'appartient* (n'est-ce pas la base de l'estime de soi ?) *et que si je désire profondément quelque chose, pourquoi ne chercherais-je pas à l'obtenir ? Je suis prête, maintenant, à me préoccuper de mes relations avec les autres.* »

Jane ne manquait pas totalement d'estime d'elle-même quand elle est venue me consulter la première fois. Toutefois, une part de cette estime soutenait une idée fausse : la certitude qu'elle avait besoin de la bénédiction de sa mère pour être bien et se respecter. En apprenant à se libérer de cette contrainte, à tenir sa vie dans ses propres mains et à agir selon son propre jugement, elle s'est estimée davantage et cela lui a ouvert la porte à de nouvelles possibilités qu'elle imaginait auparavant hors d'atteinte pour elle.

➡ Certains aspects de l'histoire de Jane correspondent-ils à votre expérience personnelle ?

Sauver son âme d'enfant : Charles

Charles, la cinquantaine, réussit brillamment dans son métier : il est chargé des investissements dans une banque. Il est venu me consulter à cause d'un douloureux mal-être et d'un sentiment de peur profondément ancré qu'il arrivait à dissimuler derrière un calme apparent et une fausse assurance.

« *Il est incroyablement facile de duper les autres à propos de ma confiance en moi*, dit-il. *C'est sans doute parce qu'ils se sentent également en insécurité.* » Ayant divorcé après 15 ans de mariage, il vivait maintenant depuis trois ans avec la même femme, passant son temps à rompre et à renouer avec elle. « *La vérité est que je n'ai pas beaucoup de considération pour elle. Mais elle m'adore, s'accroche à moi et veut que je sois tout le temps avec elle. C'est à la fois simple et sécurisant. Nous nous disputons car je ne veux pas me marier avec elle. Pour me justifier, je lui reproche sa vie passée. Elle hurle alors que j'ai peur de m'engager. Mais pourquoi m'engagerais-je avec une femme dont je sais, au fond, qu'elle ne m'intéresse pas ? Que dois-je faire avec elle ?* »

En observant le visage de cet homme mûr, à la chevelure clairsemée, j'ai vu celui d'un jeune garçon apeuré, désorienté, angoissé, cherchant de l'aide pour se sortir d'un cauchemar appartenant à son passé. Je voulais bien croire que ses collègues ne le voyaient pas ainsi, mais je me demandais comment ils faisaient pour ne pas le percer à jour. Je me disais que son don d'invisibilité ne faisait qu'accentuer son tourment.

Fils unique d'un immigrant russe ruiné, il avait grandi, disait-il, sans amour, sans la plus petite pointe d'affection ou de tendresse, mais avec, par contre, beaucoup de brutalité et d'humiliations. « *Toutefois, je savais que j'étais malin et pourrais survivre. Je savais que je pouvais voir certaines choses qu'il était aux autres impossible de voir. Par exemple, les moyens de gagner beaucoup d'argent. J'ai monté ma première affaire fructueuse à l'âge de 14 ans. Je voulais de l'argent pour être libre. Aujourd'hui, j'en gagne beaucoup. Faire des affaires est une chose facile pour moi. Je ne sais pas pourquoi, mais c'est comme ça. J'ai toujours de bonnes intuitions.*

Dans ma vie privée, j'ai essayé plusieurs fois de me confier à un de mes associés au sujet de mon sentiment d'insécurité. Il m'a ri au nez, n'a pas voulu me croire et n'a même pas voulu m'écouter. Je vis dans un petit deux-pièces et ne me sens nullement attiré par les agréments de la vie. J'ai la sensation que je ne les mérite pas. J'ai d'ailleurs la sensation de ne pas mériter grand-chose...

Vous savez ce que j'aime en vous ? C'est que vous voyez mes peurs et mes peines et que vous y croyez, que vous n'en avez pas peur et n'essayez pas de passer à un autre sujet de conversation.

— *En parlant de cela,* lui ai-je dit, *je me demande à quoi ressemblait la vie d'un petit garçon de 5 ans vivant dans votre maison.* »

Les larmes lui sont montées aux yeux quand il m'a

raconté à quel point c'était terrible. Tout en parlant, l'enfant qu'il avait été apparaissait de plus en plus et cela se lisait encore mieux sur son visage.

Il était évident que dans son enfance, malgré son intense désir de survie, Charles s'était forgé une image particulièrement médiocre de lui-même. C'est d'ailleurs ce qui a déterminé à la fois son sentiment de ne pas mériter les choses et son choix de vie avec une femme pour laquelle il n'avait pas d'estime. Qui était-il donc pour mériter l'amour d'une femme admirable ? Et pendant qu'il gagnait de l'argent, il ne s'autorisait pas à en profiter.

J'ai pris le parti de me dire que l'enfant, ou plus précisément l'âme d'enfant dans l'esprit de l'adulte, possédait la clé qui permettrait à Charles de s'estimer. Comme ce concept d'âme d'enfant est important et qu'il réapparaîtra au cours du livre, arrêtons-nous pour bien le comprendre.

Chacun de nous a d'abord été un enfant, et même si nous ne nous en rendons pas compte, nous portons en nous cette âme d'enfant, comme **un aspect de ce que nous sommes** aujourd'hui. Parfois, nous retrouvons la conscience que nous avions étant petit et réagissons aux événements de notre vie d'adulte, pour quelque raison que ce soit, comme si nous étions toujours cet enfant, avec ses propres valeurs, ses émotions, ses perspectives et une façon bien à lui d'envisager les choses. C'est parfois bénéfique, notamment lorsque nous retrouvons la spontanéité de l'enfant et son esprit joueur. Mais c'est aussi parfois destructeur, lorsque nous retrouvons nos anciennes peurs, notre dépendance et notre faible emprise sur le monde.

Nous pouvons apprendre à reconnaître cet enfant en nous, nous familiariser avec lui et être attentifs à ce qu'il éprouve le besoin de nous dire, même si c'est pénible. Nous pouvons en effet accueillir l'âme d'enfant qui est en nous et l'intégrer à notre âme d'adulte. Ou bien nous pouvons la désavouer, par peur, souffrance ou embarras, et ne pas entendre son existence et ses besoins. Dans ce dernier cas, l'âme d'enfant, laissée à l'abandon, peut provoquer des ravages dans notre vie sans que nous nous en apercevions : elle nous empêche d'être heureux en amour, nous dicte les mauvais comportements dans le cadre du travail, nous prive de la liberté de nous amuser, etc.

Je voulais explorer l'hypothèse selon laquelle les jeunes années de Charles avaient été si pénibles qu'il avait pris le parti de s'anesthésier afin de pouvoir survivre, qu'en grandissant, il avait confiné son âme d'enfant dans un petit coin retiré de sa tête afin de ne pas entendre ses cris, et que son estime de lui-même ne pourrait se construire qu'à partir du moment où il laisserait parler son âme d'enfant. Sa façon de rejeter cette âme d'enfant, et d'être ainsi en lutte avec une part de lui-même, l'empêchait de s'estimer.

Au début de sa thérapie, j'ai donc orienté Charles sur son enfance, l'amenant à parler de plus en plus profondément de cette période, de ses humiliations et de son sens exacerbé du chaos et du danger qui ont forgé ses premières impressions de la vie. Pour cela, nous avons eu principalement recours à une méthode que j'emploie souvent en thérapie, celle des phrases à compléter. Je donne à mon patient un début de phrase et lui doit la terminer de plusieurs façons différentes, même si cela ne correspond pas totalement à la vérité ou si ses terminaisons de phrases sont parfois contradictoires les unes avec les autres. Voici ce que ça a donné avec Charles en début de thérapie.

Comme début de phrase, je lui ai d'abord donné : « **Si l'enfant qui est en moi pouvait parler, il dirait**...
Et voici quelles ont été ses terminaisons :
— *J'ai peur.*
— *Je ne comprend pas.*
— *Pourquoi ma mère me crie-t-elle toujours après ?*

— *Pourquoi mon père me bat-il ?*
— *Pourquoi rien n'a-t-il de sens ?*
— *Pourquoi personne ne joue avec moi ?*
— *Je ne sais pas comment m'adresser aux autres.*
— *J'ai tout le temps des cauchemars, et quand je pleure, papa hurle.*
— *Quand je prends mon bain, pourquoi papa vient-il se moquer de moi ?*
— *Pourquoi est-ce que personne ne me protège ?* »

Puis je lui ai proposé un autre début de phrase : « **Un de mes moyens de survie était...**
— *De faire attention.*
— *De me forcer à ne rien éprouver.*
— *De me cacher.*
— *De lire.*
— *De garder en permanence les yeux ouverts.*
— *D'être toujours à l'affût du danger.*
— *De ne faire confiance à personne.*
— *D'apprendre à être indépendant.* »

Lors d'une séance suivante : « **Une des choses que cet enfant attend de moi, c'est...**
— *La permission d'être spontané.*
— *De l'écouter.*
— *De le sécuriser.*
— *De le laisser pleurer.*
— *De le soutenir.*
— *De ne pas le punir comme le faisait mon père.*
— *D'entendre son chagrin.*
— *De le réconforter.*
— *D'être présent.*
— *De ne pas m'échapper de lui.* »

« **Si j'avais davantage de compassion et d'amour pour l'enfant qui est en moi...**
— *Je lui permettrais de jouer plus souvent.*
— *Il se sentirait moins seul.*
— *Il ne se sentirait pas abandonné de tous.*
— *Je pourrais être le père qu'il n'a jamais eu.*

— *Il pourrait mieux profiter des joies de la vie.*
— *Je pourrais faire en sorte que le monde soit bon pour lui.*
— *Il pourrait se sentir en sécurité.*
— *Nous pourrions tous deux nous sentir en sécurité.*
— *Je pourrais le soigner et me soigner moi-même.* »

Après avoir exploré ces différents thèmes en détail, j'ai dit à Charles : « *Pouvez-vous, s'il vous plaît, fermer les yeux et imaginer le petit Charles devant vous. Comment vous regarde-t-il ? Quelle expression y a-t-il dans ses yeux ? Qu'éprouveriez-vous si vous pouviez tout de suite le prendre dans vos bras et l'asseoir sur vos genoux, le tenir serré et lui faire comprendre, rien que par vos gestes, qu'il est en sécurité, que maintenant vous êtes là, que vous serez toujours là, qu'il peut se reposer sur vous et peut enfin avoir confiance en quelqu'un ?* »

Je voulais que Charles fasse réellement l'expérience de son âme d'enfant, comme d'une entité distincte de lui, tout en lui faisant prendre conscience qu'il traitait avec une partie désavouée de lui-même, un aspect de lui qu'il devait intégrer.

Charles s'est alors mis à pleurer doucement. « *Il a l'air de souffrir, d'être en colère, méfiant, et pourtant tellement avide de confiance... Cela me fait du bien,* a-t-il murmuré.

— *Parfait... Laissez-le pleurer avec vous... Vous êtes tous deux, ensemble, en train de pleurer... Vous comprenez vraiment les choses, maintenant... Largement au-delà des mots... Les mots ne sont pas nécessaires... et vous le sentez.* »

Grâce à l'imagination et au rêve guidé, Charles a fait un retour dans son passé pour sauver son âme d'enfant, désamorcer sa peine et procurer à cet enfant le confort, le soutien et la présence qu'il n'a jamais connus. Petit à petit, Charles s'est mis à « pardonner » à cet enfant, à « pardonner » son âme d'enfant, à comprendre que le pardon lui-même n'était pas nécessaire puisque cet enfant n'avait jamais appris à mieux se débrouiller. L'enfant luttait pour survivre de la seule manière qu'il connaissait... Charles a progressivement absorbé puis intégré cette réalité, et son estime de lui-même a pu se développer.

Au fur et à mesure, Charles est apparu à la fois **plus adulte** et plus masculin. Son âme d'enfant a donné vie à son visage au lieu d'y marquer de la peine. Dans les semaines qui ont suivi, il a opéré plusieurs changements dans sa vie. D'abord, il a modifié sa garde-robe : il n'avait plus honte de pouvoir s'offrir des costumes de prix. Ensuite, il a quitté son deux-pièces pour un appartement beaucoup plus joli. Puis il a rompu avec la femme qu'il fréquentait depuis trois ans et a fait la connaissance de femmes plus intelligentes, indépendantes, et ayant réussi. Il était plus énergique et savait prendre des décisions rapides. Il avait simplement l'air plus vivant.

En reconnaissant et en intégrant une partie de lui-même, très importante mais désavouée, il grandit à ses propres yeux. En prenant confiance en lui-même, il a transformé sa vie.

➡ Je vous suggère de vous arrêter un moment pour explorer vos sentiments sur l'enfant que vous étiez et vous interroger sur le rôle qu'il tient dans votre vie aujourd'hui.

Cesser de se mentir : Eva

Eva, 15 ans, subissait des échecs scolaires. Elle rentrait rarement à la maison à l'heure promise, que ce soit de l'école ou de ses sorties. Ses parents se plaignaient de tous ses mensonges. Sa mère, qui m'a confié que sa propre vie, avant son mariage, avait été plutôt « *débri-*

dée », me dit : « *Je suis terrorisée. Eva est tellement comme moi au même âge.* » Le père d'Eva, un agent de change, m'a confié : « *J'ai aussi été adolescent et je sais comment ça se passe. Je n'étais pas un ange, comme Eva le sait, et elle a entendu sa mère et moi en parler. Mais j'aime Eva et son comportement m'inquiète.* »

Le frère aîné d'Eva réussissait ses études et était un fils modèle. Au cours de sa thérapie, elle a reconnu qu'elle le trouvait beaucoup mieux qu'elle, aussi bien physiquement qu'intellectuellement. C'était elle qui provoquait les conflits avec lui. J'ai très vite compris qu'Eva ne connaissait pas d'autre moyen pour attirer l'attention que d'être « *vilaine* ». En d'autres termes, elle avait une mauvaise image d'elle-même et semblait vouloir la transposer dans une vie malheureuse. La question était de savoir comment modifier cette image et changer son comportement.

Je lui ai demandé de s'asseoir face à un miroir et de s'observer. Elle m'a dit qu'elle avait horreur de ça car elle voyait dans le miroir tout ce qui lui déplaisait en elle.

Je lui ai alors dit que si elle consentait à rester une semaine entière sans dire un mensonge à qui que ce soit, elle serait étonnée du changement qu'elle pourrait constater dans la glace lors de notre prochain entretien. Peut-être le changement serait-il subtil et qu'elle devrait être attentive pour le voir, mais elle le verrait. Elle a trouvé cela complètement idiot, mais elle a accepté l'enjeu. Parallèlement, j'ai demandé à ses parents d'accepter tout ce que leur fille leur dirait pendant la semaine et de ne pas mettre sa sincérité à l'épreuve.

La fois d'après, elle s'est assise face au miroir et a dit : « *Je me trouve encore pire.* » Puis elle a avoué qu'elle avait menti trois fois à sa mère. Elle a toutefois été surprise de ne pas avoir été contredite. Nous nous sommes mis d'accord pour renouveler l'expérience une semaine de plus.

Cette fois, elle est arrivée en avance et tout de suite, avant même que nous soyons dans mon bureau, elle m'a annoncé qu'elle n'avait pas menti une seule fois et elle s'est précipitée devant la glace.

« *Mouais...*, dit-elle doucement, *vous voyez quelque chose* ?
— *Je vois une jeune fille qui a décidé d'être honnête pendant une semaine.* » Mais elle a insisté : « *Me trouvez-vous différente ?* » Je lui ai conseillé de retourner au miroir et de se rendre compte par elle-même. « *J'ai l'air d'être plus heureuse,* dit-elle enfin.
— *Eh bien ! En voilà une différence, n'est-ce pas ?* »

Alors, je lui ai dit qu'il serait intéressant de savoir ce qui se passerait si elle rentrait chaque soir à la maison à l'heure précise qu'elle aurait donnée à ses parents.

La séance suivante a entièrement tourné autour de ses parents.

« *Ils se sont terriblement disputés* », a-t-elle dit tout de suite. « *A votre sujet ?* », lui ai-je demandé. « *Non, à propos du type de relation qu'ils ont.* » Puis elle s'est assise devant la glace et a dit à son reflet : « *Tu vois ce qui arrive quand ils ne t'ont pas comme prétexte pour se disputer.* » J'étais satisfait de sa remarque et j'ai attendu la suite en silence. « *Je trouve que je deviens plus jolie* », a-t-elle déclaré alors. C'était sa façon à elle de me dire qu'elle avait tenu sa parole.

Lors d'une séance suivante, je lui ai parlé de ma méthode consistant à compléter des phrases. Voici quelles ont été ses terminaisons après le début de phrase suivant : « **Je m'aime davantage quand...**
— *Je n'essaie pas d'être comme tout le monde.*
— *Je fais ce que j'ai dit que je ferais.*
— *Je ne « tire pas au flanc » à l'école.*
— *Je fais mes devoirs.*

— *Je dis la vérité.*
— *Je m'amuse avec mon père.*
— *J'utilise ma tête au lieu de prétendre que je suis stupide.*
— *Je me tiens à distance des ennuis.*
— *Je ne fume pas.* »

Puis le début de phrase : « **Je m'aime moins quand...**
— *Je fais l'imbécile.*
— *Je me montre immature.*
— *Je crée la panique pour me faire remarquer.*
— *Je mange trop.*
— *Je suis trop impulsive.*
— *Je ne dis pas aux autres ce que je pense réellement.*
— *Je mens.*
— *Je ne tiens pas mes promesses.* »

Au cours de cette période, parallèlement, j'ai eu plusieurs entretiens avec les parents d'Eva, pour les alerter du fait que plus leur fille changerait et s'améliorerait, plus ils auraient à craindre des difficultés dans leur couple, puisqu'il n'y aurait plus Eva pour faire diversion. Je leur ai également fait remarquer qu'ils risquaient, involontairement, de saboter les progrès de leur fille afin de ne pas être confrontés à leurs propres problèmes.

Nous nous sommes donc mis d'accord pour nous voir régulièrement pendant quelque temps, en présence d'Eva et de son frère, pour orienter les réactions de la famille selon les changements de la jeune fille. Son désir d'attirer l'attention était maintenant comblé, mais d'une manière favorable à tout le monde. L'idée était de mettre en relief son sens des valeurs, ses raisons d'être aimée et sa séduction, grâce à son honnêteté et à son intégrité.

Pendant qu'Eva apprenait à **vivre de façon plus responsable**, elle s'est mise à s'estimer davantage. A mieux s'aimer. Elle montrait de plus en plus son désir d'être quelqu'un de responsable. Ses notes à l'école se sont améliorées. Elle est devenue plus sélective quant à ses amis et à ses activités. Son frère et elle ont commencé à mieux s'entendre. Par ailleurs, ses parents ont compris à quel point leurs propres problèmes contribuaient aux difficultés d'Eva. Ils ont alors pris le parti de vraiment réfléchir sur leur union.

Eva a appris à **faire la distinction** entre ce qu'elle admirait chez ses parents et ce qu'elle n'aimait pas. Elle savait maintenant de quels traits de caractère elle voulait s'inspirer et lesquels elle devait rejeter puisque ses parents eux-mêmes en éprouvaient de la culpabilité. Quand ils se sont aperçus de cela, les parents d'Eva ont poussé un soupir de soulagement. Ils se sont sentis moins coupables de leur influence en tant que parents et ont appris alors à la soutenir dans ses efforts pour devenir une adulte forte et en qui on peut avoir confiance.

Dans la démarche visant à ce qu'Eva apprenne à s'estimer, c'est le premier pas qui a été le plus important : **il fallait qu'elle arrête de mentir**. En effet, elle ne mentait pas seulement aux autres à propos de ses actes, elle se mentait aussi à elle-même sur sa propre personne, prétendant qu'une sorte d'incapacité l'empêchait de tirer parti de ses possibilités. Il y avait encore beaucoup de travail à faire, mais son désir de vivre maintenant dans la vérité était un déclic essentiel pour qu'elle commence à modifier ses comportements.

➡ Voyez-vous des ressemblances entre la psychologie d'Eva et la vôtre ?

Se prendre en charge

Vous comprenez bien, naturellement, qu'en relatant ces différents cas, je n'ai parlé que de l'essentiel. Ce n'est pas un livre sur l'art de la psychothérapie. Les histoires ont été simplifiées afin de mettre en relief ce qui intéresse directement notre propos. Elles servent à vous faire comprendre à quel point **ce que nous sommes, ou pensons être, influe sur nos actes**. Elles vous permettent de réaliser le pouvoir impressionnant de l'image de soi.

Ce qui doit nous préoccuper avant tout, nous autres les adultes, c'est de trouver comment nous pouvons nous estimer davantage, apprendre à mieux nous aimer, croire davantage en nous-mêmes, et enfin avoir une plus grande confiance en nos capacités.

Il est vrai que certains ont besoin d'une psychothérapie pour résoudre totalement leurs difficultés. Mais la plupart d'entre nous pouvons déjà bien avancer par nous-mêmes, à condition de vouloir faire les efforts nécessaires. C'est un peu comme l'exercice physique : c'est bien plus facile avec un moniteur ou un entraîneur, mais en se servant des conseils d'un livre, on peut déjà considérablement améliorer les choses. C'est une question de **volonté** et de **détermination**.

Nous voulons réussir notre vie. Nous voulons ce qu'il y a de mieux pour nous-mêmes, dans la mesure de ce qui est réaliste. Si l'estime de soi est la clé pour y arriver, comment pouvons-nous la susciter ?

III

VIVRE EN PLEINE CONSCIENCE

Pour arriver à nous estimer davantage, nous devons arriver à deux choses : avoir davantage confiance en nous-mêmes, et apprendre à nous respecter. Pour cela, il faut vivre en pleine conscience. Mais peut-être cela vous semble-t-il trop abstrait, trop difficile à transposer en actes et (ou) en pensées ? Et si nous souhaitons évoluer, il nous faut **savoir quoi faire concrètement**. Nous devons nous familiariser avec de nouveaux comportements. Nous devons nous demander en quoi nous agirions différemment si nous voulions vivre réellement en pleine conscience.

Ce livre va vous aider à répondre totalement à cette question, mais dans un premier temps, voyons pourquoi une vie en pleine conscience est une condition essentielle pour forger sa confiance en soi et se respecter.

Notre esprit est notre moyen fondamental de survie. Tout ce que nous accomplissons en tant qu'être humain est le reflet du fait que nous sommes capables de penser. Une vie réussie dépend de l'utilisation appropriée de l'intelligence, c'est-à-dire appropriée aux tâches et aux buts que nous nous sommes fixés, ainsi qu'aux enjeux auxquels nous sommes confrontés. C'est le noyau biologique de notre existence.

Mais l'utilisation appropriée de notre conscience ne se fait pas automatiquement. C'est un choix. **Nous pouvons tout aussi bien lutter pour éclairer cette conscience que pour l'étouffer.** Nous pouvons chercher à être plus clairvoyants ou à nous mettre des œillères. Nous pouvons souhaiter savoir ou ne pas savoir. Opter pour la lumière ou pour le brouillard. Nous pouvons vivre en pleine conscience, dans une semi-conscience, ou bien dans l'inconscience. C'est une liberté de choix primordiale.

Si notre vie, ou notre bien-être, dépend d'une utilisation appropriée de notre conscience, nous devons alors honorer la vue et bannir la cécité. C'est ce qu'il y a de plus important pour avoir confiance en soi et se respecter. Nous pouvons difficilement nous trouver de la valeur si nous passons notre temps dans la confusion (au travail, dans notre couple ou avec nos enfants), dans un brouillard mental généré par nous-mêmes. Si nous trahissons notre moyen fondamental de survie, en essayant de vivre sans vraiment réfléchir, notre perception de notre valeur en souffre, sans compter l'opinion que les autres ont de nous. Que les autres connaissent nos défauts ou pas, nous, nous les connaissons. L'estime de soi est la réputation que nous nous forgeons de nous-mêmes.

Mille fois par jour, nous devons décider à quel niveau de conscience nous souhaitons fonctionner. Mille fois par jour, nous devons choisir entre réfléchir ou pas. Progressivement, au fil du temps, nous élaborons notre sens de ce que nous sommes en fonction des choix que nous faisons, de la rationalité et de l'intégrité dont nous faisons preuve. C'est de cette réputation-là que je parle.

Quelle que soit notre intelligence, quelle que soit notre lucidité, le principe même de la vie en pleine conscience reste le même. Vivre en pleine conscience implique d'être **lucides** sur tout ce qui pèse sur nos actes, nos buts, nos valeurs et nos objectifs, et d'agir en accord avec ce que nous voyons et savons.

Dans toute situation, la vie en pleine conscience implique d'avoir un état d'esprit approprié à ce que nous sommes en train de faire. Conduire une voiture, faire l'amour, faire la liste des courses, étudier un rapport, réfléchir, chacun de ces actes requiert un état d'esprit particulier, différentes sortes de processus mentaux. Pour tout ce qui fait appel à l'activité cérébrale, ce sont les circonstances qui dictent ce qui est approprié ou pas. Vivre en pleine conscience signifie prendre la responsabilité d'avoir une lucidité appropriée au type d'action que nous menons. C'est la base de la confiance en soi et du respect de soi.

L'estime de soi, donc, est une fonction vitale, bien qu'elle ne soit pas innée. C'est la fonction d'utilisation de notre conscience : **les choix que nous faisons à propos de la lucidité, notre honnêteté face à la réalité, et notre degré d'intégrité**. Une personne très intelligente, qui a une haute opinion d'elle-même, ne se sent pas plus appropriée à la vie ou plus apte à être heureuse qu'une personne ayant également une haute opinion d'elle-même, mais dont l'intelligence est moyenne.

Vivre en pleine conscience implique le respect de la réalité, que ce soit à l'intérieur ou à l'extérieur de nous-mêmes, par opposition au refus de la réalité : « *Si je décide de ne pas voir ou de ne pas savoir quelque chose, cette chose n'existe pas.* » Vivre en pleine conscience, c'est avoir une attitude responsable face à la réalité.

Cela ne veut pas dire que nous devions forcément aimer ce que nous voyons, mais au moins que nous reconnaissions ce qui est et ce qui n'est pas. Les souhaits, les peurs ou les refus n'ont aucune incidence sur les faits réels.

Pour illustrer ce que j'entends par «vivre en pleine conscience», voici quelques exemples.

Le travail : John ou Jim

• *Vivre en pleine conscience*. Quand John a été engagé à son nouveau poste, il faisait l'impossible pour accomplir au mieux ce que l'on attendait de lui, et essayait toujours d'être plus performant. De plus, il cherchait à comprendre la façon dont son travail s'inscrivait dans le reste de son entreprise afin d'être prêt à grimper dans la hiérarchie et ne pas stagner à son point de départ. Son souhait le plus cher était d'apprendre et ainsi d'accroître son assurance, sa productivité et sa compétence.

• *Vivre dans l'inconscience*. Quand Jim a changé de poste au sein de son entreprise, il pensait qu'en assimilant la routine de sa tâche et en s'arrangeant pour ne pas attirer l'attention, il pourrait se sentir en sécurité. Les challenges ne l'intéressaient pas car ils comportent des risques et font appel à la réflexion. Il accomplissait donc son travail à un niveau de conscience minimum, sans jamais avoir d'initiatives. Il levait rarement le nez de sa table de travail, sauf par civilité pour ses collègues ou pour rêver un peu.

Il n'était pas curieux de connaître le rôle de son travail dans son entreprise. Mais pourquoi l'aurait-il été ? Son travail lui suffisait. Il avait une pendulette posée sur son bureau afin de partir à 17 heures pile. Quand son patron lui faisait remarquer des erreurs qu'il avait commises, il trouvait toujours des excuses et bouillonnait intérieurement. Mais quand on a proposé une promotion à John et pas à lui, il n'a pas compris pourquoi et s'est enfermé dans le ressentiment.

➡ Lequel de ces deux comportements ressemble le plus au vôtre ? Et quel impact ce comportement a-t-il sur votre estime de vous-même ?

Le couple : Serena ou Carol

• *Vivre en pleine conscience.* Serena, une femme heureuse en ménage, m'a dit un jour : « *Une heure après avoir rencontré l'homme avec qui j'allais me marier, j'aurais déjà pu vous dire les points sur lesquels il serait difficile à vivre. C'est l'un des hommes les plus enthousiasmants que j'ai rencontré, mais je ne me suis jamais leurrée, c'est aussi l'un des plus concentrés sur lui-même. Il me fait souvent penser à un professeur distrait. Une bonne partie du temps, il est absorbé par son monde intérieur. Je devais accepter cette particularité ou, sinon, j'aurais souvent été de mauvaise humeur. Il n'essayait jamais de duper les autres sur ce qu'il était.*

Je ne comprends pas les gens qui souffrent ou sont choqués de la façon dont évolue leur conjoint. Il est tellement facile de repérer la nature des autres si on y prête attention. Je n'ai jamais été aussi heureuse qu'actuellement, mais ce n'est pas parce que je me dis que mon mari est parfait ou sans défaut. Au contraire, j'en apprécie d'autant plus ses forces et ses qualités. Je veux tout voir. »

• *Vivre dans l'inconscience.* Une femme nommée Carol a suivi avec moi une psychothérapie. Dès notre première rencontre, elle m'a dit : « *J'ai une malchance incroyable avec les hommes. Combien de femmes pourraient dire que leurs trois derniers amants les battaient ? Pourquoi ce genre de choses arrive-t-il ? Et pourquoi à moi, mon Dieu, pourquoi à moi ? Bien sûr, je ne peux pas dire que je prends vraiment la peine de connaître un homme avant de... Vous savez. Je veux dire que, pour moi, l'espèce d'étourdissement qu'accompagne le début d'une relation accentue l'excitation. Mais dès qu'ils commencent à me bousculer, grand choc.*

Je ne peux pas croire que ça m'arrive. D'une certaine façon, j'avais le pressentiment qu'ils me poseraient des problèmes. Il y avait des signes. Mais je voulais que tout aille bien. Je voulais de chacun qu'il soit l'homme idéal. J'entendais parfois parler de la façon dont ils battaient les autres femmes, mais je me disais "Avec moi, ce sera différent". Je me demande si les autres femmes se disaient ça aussi. Ma mère me disait toujours : "Regarde où tu mets les pieds". Mais peut-on réellement s'amuser de cette façon ? Je voudrais fermer les yeux et me laisser couler. Advienne que pourra ! C'est ma philosophie. Si seulement je pouvais tomber sur un autre type d'hommes ! »

➡ Ces deux femmes représentent assurément des attitudes extrêmes et opposées. Mais dans vos rapports avec les autres, laquelle se rapproche le plus de la vôtre ?

L'enfance : Roger ou Milton

• *Vivre en pleine conscience*. Dans son enfance, Roger a vu et entendu beaucoup de choses qu'il n'arrivait pas à comprendre. Sa mère ne cessait de le chapitrer sur les vertus de l'honnêteté et, à la première occasion, il l'entendait mentir aux voisins. Il sentait parfois de la haine dans le regard que lançait son père à sa mère, même aussitôt après lui avoir dit : « *Mais oui, ma chérie, tu as raison, je te demande pardon* ». Il constatait que la plupart des adultes ne disaient pas la vérité sur ce qu'ils ressentaient, qu'ils avaient souvent l'air malheureux et déçus, mais que cela ne les empêchait pas de pérorer sur la façon de réussir sa vie. Ils accordaient plus d'importance à l'opinion des autres qu'à ce qui était réellement juste. Il était consterné et parfois même épouvanté de ce qu'il voyait, mais il continuait à regarder et à essayer de comprendre.

Il savait qu'il ne voulait ressembler à aucun des adultes de son entourage. Il regrettait de ne connaître personne qu'il puisse admirer vraiment. Mais il ne faisait pas semblant d'admirer les gens qu'il connaissait. Il avait hâte de grandir afin de pouvoir sortir et découvrir autre chose que ce que proposaient les adultes de sa connaissance. En même temps, rien pour lui n'était plus important que de protéger l'acuité de sa vision, sans sombrer dans le désespoir.

Meurtri, anéanti, aliéné par son entourage, il s'est pourtant accroché et a persévéré. Il a grandi dans l'idée de trouver des amis qu'il puisse aimer et admirer, et saisir les opportunités qui lui permettraient de vivre ainsi qu'il le rêvait dans son enfance, avant même de connaître les mots qui expriment ce type de mode de vie. Une fois adulte, il a trouvé les mots et les a appliqués dans la réalité.

• *Vivre dans l'inconscience*. Milton a été élevé dans un monde assez proche de celui de Roger, mais il en a tiré très tôt des conclusions différentes. Il sentait confusément qu'en voir trop était dangereux. Il voulait appartenir au cercle familial, être aimé, et rien ne comptait plus pour lui. Aussi faisait-il semblant de ne rien remarquer quand il surprenait un adulte à mentir, à être hypocrite ou cruel, et il a appris à imiter leur comportement. A la longue, ça ne lui était pas plus difficile que de respirer.

A l'adolescence, il s'est demandé où était passé l'enthousiasme qu'il avait étant enfant, mais il a vite chassé ces idées de son esprit. Lorsqu'il avait 20 ans, son père lui dit un jour : « *Penses-tu que la vie soit heureuse ?* » Milton était tellement abasourdi qu'il n'a pas su comment répondre. Son père faisait état d'une évidence.

Un jour que Milton prenait un verre avec des amis, il avait alors 30 ans, il leur dit : « *Je vais vous révéler le secret de la vie. Suivez le mouvement et ne pensez pas. Ainsi, vous ne souffrirez pas.* » Tout le monde le trouvait régulier, sauf ses enfants désemparés qui, souvent, voyaient du vide dans son regard. Mais les adultes le trouvaient tout à fait normal, ce que Milton avait toujours désiré, ce pour quoi il aurait vendu son âme, ce que d'ailleurs il avait fait.

→ La psychologie d'un de ces deux hommes est-elle comparable à la vôtre ? Si elle l'est, cela vous éclaire-t-il ?

Les erreurs : Karen ou son confrère

• *Vivre en pleine conscience*. Karen faisait de la recherche scientifique dans le secteur de la biochimie. Elle avait écrit plusieurs articles extrêmement bien reçus dans lesquels elle avait exposé une théorie qu'approuvaient un grand nombre de ses confrères. Puis un jour, dans un petit journal obscur publié en Australie, elle a lu le compte rendu d'expériences qui, si leurs résultats se confirmaient, invalideraient sa théorie.

Elle a aussitôt décidé de tenter elle-même ces expériences, a pu constater que sa théorie tombait effectivement à l'eau, et a publié un article en informant ses confrères. L'un d'eux, connu pour son cynisme, lui a demandé pourquoi elle mettait sa propre carrière en péril en s'appuyant sur un journal dont personne n'avait entendu parler. Elle a alors regardé son confrère d'un air étonné, ce qui l'a rendu furieux, et lui a dit : «*La seule chose qui m'intéresse, c'est la vérité*». «*Mais qu'est-ce que la vérité ?*», a-t-il persiflé.

• *Vivre dans l'inconscience*. Ce serait partager le point de vue du confrère de Karen, dans quelque domaine que ce soit.

→ De ces deux attitudes contradictoires face à la vérité, laquelle se rapproche le plus de la vôtre ? Vous sentez-vous en accord avec vous-même ? Votre perception de vous-même est-elle affectée ?

Le dialogue : Jerry ou Philippe

• *Vivre en pleine conscience.* Au cours d'une grosse dispute avec sa femme, Jerry s'est soudain arrêté et lui a dit : « *Attends, je suis sur la défensive et finalement, je n'écoute pas ce que tu as à dire. Ne pourrions-nous pas revenir un peu en arrière, et essayer de nouveau ? Maintenant, voyons si je comprends ce que tu me dis.* »

• *Vivre dans l'inconscience.* Pendant des années, la femme de Philippe a tenté de dire à son mari qu'elle n'était pas heureuse avec lui. Sa réaction était alors toujours la même : il se sentait pris d'une incontrôlable fatigue. Quand elle essayait d'avoir une discussion avec lui tôt le matin, espérant qu'il se sente plus éveillé, il l'interrompait immédiatement en lui disant : « *Mais pourquoi choisis-tu toujours le moment où je me prépare à partir travailler pour aborder ces sujets impossibles ?* » Mais si elle lui répondait en lui demandant qu'il décide du moment le plus approprié, il lui répondait : « *Et voilà, tu essaies maintenant de me piéger. Je ne supporte pas l'oppression.* »

Et puis, un jour, elle lui a dit : « *A moins que nous n'apprenions à communiquer l'un avec l'autre, je ne pourrai pas continuer à vivre avec toi.* » Il a alors hurlé : « *Parce que tu crois sans doute que les autres femmes sont plus heureuses ?* » Et il est parti en claquant la porte. Un jour, après plusieurs années de ces « non-confrontations », il est rentré chez lui, mais elle était partie en laissant un mot disant qu'elle ne pouvait plus supporter cette situation. Il s'est mis à pleurer dans la maison vide : « *Qu'est-ce qui se passe ? Comment ça a pu arriver ? Pourquoi est-elle partie sans même me laisser une chance ?* »

➡ Vous reconnaissez-vous dans l'un ou l'autre de ces types de comportement ? Trouvez-vous dans ces deux histoires des traits qui vous correspondent ? Qu'éprouvez-vous ?

Les objectifs : Kay ou Mary

• *Vivre en pleine conscience.* Dès que Kay se fixe un nouvel objectif, elle se demande immédiatement ce qu'elle doit faire pour l'atteindre. Quand elle a décidé de monter sa propre affaire, elle a mis au point un minutieux plan d'action, qu'elle a divisé en petites étapes pour arriver à ses fins, puis elle a foncé. Elle savait que personne ne pourrait réaliser son rêve à sa place et n'attendait pas passivement de miracle. Quand quelque chose n'allait pas, elle se demandait toujours ce qui lui avait échappé. Quand un obstacle surgissait, elle ne le considérait pas comme une mise à l'épreuve, mais comme l'occasion de trouver une solution. Elle se sentait l'instrument de ce qu'elle souhaitait obtenir. Elle n'a donc pas été surprise lorsqu'elle a réussi.

• *Vivre dans l'inconscience.* Mary se sentait malheureuse dans son emploi de vendeuse dans un magasin de vêtements. Elle rêvait d'avoir sa boutique à elle. Mais quand ses amis lui demandaient pourquoi c'était son rêve et comment elle comptait s'y prendre pour l'atteindre, elle répondait : « *Ne trouves-tu pas que ce serait merveilleux ?* »

Quand son patron lui reprochait d'être dans les nuages, et de ne pas être assez attentive envers les clients, elle se disait : « *C'est dur de me concentrer sur des choses sans importance alors que je suis en train de penser à mes propres ambitions.* » Si un ami lui disait qu'elle devrait s'impliquer davantage dans son travail car cela l'aiderait pour la suite des événements, elle lui répondait qu'elle n'allait pas ruiner sa santé en travaillant pour quelqu'un d'autre.

Quand finalement son patron l'a mise à la porte, ça a été un choc pour elle et elle s'est sentie trahie. Elle s'est demandé pourquoi les autres arrivaient à réaliser leurs rêves et pas elle. « *Peut-être ne suis-je pas assez scrupuleuse pour réussir dans le travail* », pensa-t-elle.

Elle était vaguement consciente de la haine qui grandissait en elle, mais elle appelait cela de « *l'indignation face à l'injustice du système* ».

➡ Si vous connaissez deux femmes de ce type, avec laquelle auriez-vous le plus de choses en commun ? Laquelle vous ressemble le plus ? Voyez-vous ce que cela implique pour votre confiance en vous et le respect de vous-même.

Les problèmes : Elisabeth ou Louise

• *Vivre en pleine conscience.* Elisabeth adorait son mari qui était entrepreneur dans le bâtiment. Un jour, elle s'est aperçue qu'il rognait sur certains postes, afin de rester compétitif, arrivant parfois à la limite de l'éthique de sa profession. Ça l'a affolée. C'était une période difficile pour le bâtiment, et la compétition était sévère, elle le savait, mais ses soucis dans son propre travail l'empêchaient de bien réaliser les inquiétudes de son mari.

Quand Elisabeth a décidé d'aborder le sujet avec lui, il s'est d'abord montré furieux et sur la défensive. Mais elle a insisté et il a vu qu'elle était plus inquiète qu'hostile et, petit à petit, il lui a fait part de ses angoisses et des raisons pour lesquelles il était obligé de rogner sur certains postes. Malgré cela, ils ont vécu des heures difficiles la semaine suivante. Ils perdaient parfois le contrôle d'eux-mêmes et cela se terminait dans les cris.

Mais au bout du compte, la raison, l'amour et le respect mutuel ont obtenu gain de cause. Il s'est engagé à retrouver l'honnêteté et l'intégrité dont il faisait preuve auparavant. Elle a réussi à lui redonner confiance, notamment pour trouver les moyens de s'en sortir. Une fois cet orage passé, leur couple s'en est trouvé renforcé. « *Quand on aime vraiment quelqu'un*, dit Elisabeth, *on ne laisse pas la peur empê-*

cher les remises en question quand les situations l'exigent. »

• *Vivre dans l'inconscience.* Louise ne se sentait pas à l'aise avec le nouvel associé de Paul, son mari, chargé de la prospection. Paul possédait plusieurs garages, mais il manquait souvent d'argent, ce que cet homme lui proposait de trouver en échange d'un partage de son affaire.

Un soir, Paul l'a ramené à la maison et invité à dîner. La conversation des deux hommes à table n'avait guère de sens pour Louise et elle n'a pas cherché à comprendre. Elle se disait que les affaires étaient un travail d'hommes et que cela ne la concernait pas. Néanmoins, il lui semblait confusément que cet homme voulait être majoritaire sur le papier mais que dans les faits, il laisserait à Paul la charge de son affaire. « *Après tout, je n'y connais rien en mécanique* », avait-il dit. Chaque fois qu'elle ouvrait la bouche pour dire quelque chose, Paul semblait agité, distrait et vaguement irritable.

Elle s'est alors dit que le devoir d'une femme était de préserver un climat de paix au foyer, elle a donc décidé de garder le silence et n'a plus rien dit pendant tout le reste de la conversation. Même quand elle a vu son mari signer leurs accords écrits sans les montrer à son avocat. Elle a aussi préféré chasser cette histoire de son esprit et ne pas non plus se poser de questions quand elle a vu les employés être congédiés les uns après les autres par le nouvel associé, tandis que des personnes moins expérimentées étaient engagées sans même que Paul en soit informé.

Elle ne s'est pas non plus posé de questions quand elle a vu le revenu de son mari diminuer sans qu'il puisse lui en fournir la raison. Elle a également refusé de penser quand Paul est un jour rentré à la maison en lui annonçant qu'il était sur la voie de la faillite. Elle avait l'impression qu'à chaque nouveau coup dur, sa conscience se fermait davantage.

A cette époque, elle pleurait beaucoup, tous les deux

d'ailleurs, mais ils ne parlaient de rien ni même ne réfléchissaient sur ce qui se passait. « *Réfléchir sur quoi ?*, dit Paul un jour en réponse au silence de sa femme. *Je n'ai pas eu de chance, ça peut arriver à n'importe qui.* » Louise l'a regardé, étouffant désespérément son esprit dans un épais brouillard pour éviter de se mettre à crier. Mais elle se sentait trahie par son mari, et surtout par ses parents. En effet, ils lui avaient toujours enseigné que pour être heureuse, une femme devait se montrer complaisante envers son mari, le soutenir aveuglément et ne jamais essayer de le remettre en cause. Mais Louise n'était pas heureuse.

Elle se demandait amèrement pourquoi la vie l'avait trompée. « *Peut-être Paul fera-t-il quelque chose* », se dit-elle. Mais le couple n'envisageait pas qu'un mari et une femme pensent aux problèmes de leur existence et en parlent ensemble ouvertement.

➡ Reconnaissez-vous certains aspects de vous-même dans l'une de ces deux femmes ? Si oui, déterminez lesquels et voyez si vous en êtes fier ou au contraire s'ils vous gênent.

La personnalité : Norman ou Tim

• *Vivre en pleine conscience.* A l'âge de 42 ans, Norman avait atteint les principaux objectifs qu'il avait définis pour lui-même. Il était heureux en ménage, était un médecin réputé et avait trois enfants qu'il adorait et dont il était fier. Mais une sorte de vague insatisfaction commençait à monter du plus profond de lui-même, comme si une partie enfouie de lui-même essayait de lancer un message à sa conscience.

Au début, la seule chose qu'il pouvait identifier était une sorte de nostalgie. Il n'a pas cherché à balayer cette impression de son esprit mais a préféré au contraire s'y arrêter. Petit à petit, il s'est rappelé un rêve de jeunesse : écrire des livres. Il a alors remanié son planning afin de s'accorder le temps d'explorer ce rêve. D'abord, il n'a pas su dire s'il s'agissait d'un désir réel ou d'un fantasme d'adolescent non assouvi. Mais il savait qu'il était important pour lui de le déterminer car il attachait de l'importance à sa vie et à ce qu'il en faisait.

Il s'est vite rendu compte qu'il désirait passionnément écrire. Et sans plus attendre, il s'est plongé dans l'élaboration du plan d'un roman. Deux ans plus tard, le roman était achevé, puis publié un an et demi après. Son livre n'a pas très bien marché mais, sans aucun doute possible, il savait maintenant ce qu'il voulait faire. Son deuxième roman a obtenu plus de succès et le troisième encore plus. C'est alors qu'il a décidé d'abandonner la médecine pour se consacrer à l'écriture.

Sa femme, en le regardant vivre, le trouvait de plus en plus jeune et de plus en plus heureux. Ses enfants, à cette occasion, ont appris une leçon inestimable : il faut honorer ses désirs et sa propre vie. « *Soyez toujours à l'écoute de vos signaux intérieurs*, leur disait-il. *Ne soyez pas impulsifs et restez attentifs à vous-mêmes. Parfois, une partie de notre esprit a des années d'avance en sagesse.* »

• *Vivre dans l'inconscience.* Tim s'ennuyait. Il avait commencé à pratiquer son métier de psychologue à 28 ans et il en avait maintenant 51. Il se demandait comment il allait bien pouvoir faire ce métier encore pendant 20 ans. On venait le consulter pour des psychothérapies individuelles ou des psychothérapies de groupe, et il était aussi parfois engagé par des entreprises pour organiser des séminaires.

Il n'arrivait pas à se rappeler le moment où il avait cessé de travailler par plaisir pour ne plus le faire que par profit, mais il savait en tout cas avec certitude que le plaisir n'existait plus depuis longtemps. Avant, il communiquait son enthousiasme à ses patients, par la suite, il n'a plus offert qu'une « sagesse » fatiguée et cynique. Il se sentait constamment en fraude et il s'étonnait que personne ne semble le remarquer.

Il est arrivé parfois que des patients viennent le consulter pour des problèmes vaguement analogues aux siens, mais ça ne l'a pas incité à réfléchir sur lui-même ni à en parler avec qui que ce soit. Sa distraction et fuite favorite était le tennis, et souvent, pendant qu'un patient lui parlait et qu'il s'ennuyait, il pensait au tennis. Sa famille le trouvait de plus en plus inerte, détaché et irritable.

Finalement, il est tombé amoureux d'une de ses patientes de trente ans sa cadette, et ils ont disparu ensemble dans un ashram du Colorado, dirigé par un gourou indien qui enseignait l'amour libre, menait des expériences avec des substances psychotropes et préconisait une soumission totale à la volonté du gourou, pour trouver le chemin de la lumière spirituelle. Le gourou a dit à Tim que ses troubles venaient de ce qu'il réfléchissait, et il s'est plu à croire que c'était vrai.

➡ Deux attitudes différentes face à la vie, à la raison et à la réalité. Laquelle est la plus proche de la vôtre ? Et quelles sont les conséquences sur l'estime que vous vous portez ?

Les vertus de la pleine conscience

Dans les exemples précédents, notez ce qui est impliqué par une vie en pleine conscience et, à l'inverse, par une vie dans l'inconscience.

• La réflexion, même si elle est pénible, face à la non-réflexion.

• La lucidité, même si elle oblige parfois à se remettre en question, face à l'inconscience.

• La clarté, qu'elle soit facile à obtenir ou pas, face à l'obscurité, l'imprécision.

• Le respect de la réalité, qu'elle soit agréable ou pénible, face à la fuite de la réalité.

• Le respect de la vérité face au rejet de la vérité.

• L'indépendance face à la dépendance.

• L'orientation active face à l'orientation passive.

• Le désir de prendre des risques appropriés, même si la peur se présente, face au refus de prendre des risques.

• L'honnêteté face à la malhonnêteté.

• La vie dans le présent, en toute responsabilité, face au retrait dans les fantasmes du passé.

• La confrontation avec soi-même face à l'évitement de soi.

• Le désir de voir et de corriger ses fautes face à la persistance dans l'erreur.

• La raison face à l'irrationalité.

Tous ces thèmes sont présents, implicitement ou non, dans les histoires que vous venez de lire.

Une des conséquences primordiales d'une vie en pleine conscience est la **liberté intellectuelle**. Personne ne peut penser avec l'esprit de quelqu'un d'autre. Nous pouvons apprendre les uns grâce aux autres, mais la réelle connaissance implique une réelle compréhension. Pas une simple répétition ou imitation. Nous avons le choix entre faire marcher notre esprit ou laisser à d'autres la responsabilité d'exercer leur jugement et nous plier à leurs verdicts, plus ou moins aveuglément.

Naturellement, nous sommes parfois influencés par les autres sans même nous en apercevoir. Mais il n'empêche qu'il y a une distinction à faire entre ceux qui essaient de comprendre les choses par eux-mêmes et ceux qui ne s'en donnent pas la peine. Ce qui est essentiel, c'est notre intention, notre but. D'une façon générale, vous donnez-vous le mal de penser par vous-même ? Est-ce un de vos critères de base ?

Souvent, ce que les gens appellent « penser » n'est autre que de simplement recycler l'opinion des autres, et pas du tout de penser réellement par eux-mêmes. Avoir une pensée libre et indépendante, à propos de notre travail, de nos relations avec les autres ou des valeurs qui guident notre existence, fait partie du concept de « vie en pleine conscience ».

L'indépendance est une des vertus de l'estime de soi.

Exercice : enclencher le processus

En considérant les différentes histoires relatées plus haut, peut-être vous demandez-vous si les gens qui vivent en pleine conscience bénéficient déjà d'une bonne estime d'eux-mêmes, contrairement à ceux qui vivent dans l'inconscience. Et dans ce cas, comment la vie en pleine conscience peut-elle être à la base d'une saine estime de soi ?

C'est ce que j'appelle le « **principe de causalité réciproque** ». Je veux dire que les comportements induisant une bonne estime de soi en sont aussi l'expression. Et les comportements qui expriment une bonne estime de soi en sont également les instigateurs. Vivre en pleine conscience est à la fois une cause et un effet de la confiance en soi et du respect de soi.

Plus je vis consciemment, et plus j'ai foi en ma capacité de réflexion et respecte mes valeurs. Plus j'ai confiance en moi et me respecte, plus il me semble naturel de vivre en pleine conscience. Ce même rapport de réciprocité existe pour tous les comportements qui génèrent une bonne estime de soi.

➡ **Arrêtez-vous** sur les histoires que je viens de vous raconter, et pensez-y. Dans quels domaines de votre existence arrivez-vous à vivre le plus consciemment ? Quels sont ceux pour lesquels vous vous mettez des œillères ? En vous aidant des éléments contenus dans ce chapitre, dressez la **liste des points qui vous concernent** personnellement, séparez-les en deux colonnes et inscrivez-les sur un carnet. C'est un excellent moyen pour approfondir votre compréhension de ce qu'une vie en pleine conscience signifie pour vous.

A présent, admettons que vous ayez repéré trois domaines dans lesquels votre niveau de conscience est bien inférieur à ce qu'il devrait être. Réfléchissez à la question et essayez de comprendre quelles en sont les raisons. Puis, pour chacun de ces domaines, prenez une page blanche du carnet et inscrivez en haut de la page : « *Il m'est difficile d'être conscient(e) en ce domaine car...* » et, le plus rapidement possible, notez les raisons qui vous viennent à l'esprit, sans vous censurer (entre six et dix raisons pour chaque domaine). Ensuite, faites de même en écrivant en haut de la page : « *L'avantage de rester inconscient en ce domaine, c'est...* ». Puis terminez par la phrase : « *Si je devais être pleinement conscient en ce domaine...* ». Grâce à cet exercice, vous allez certainement faire des découvertes intéressantes et déjà, rien qu'en le faisant, vous allez vivre plus consciemment.

Vous devez vous fournir matière à réflexion pour demain et les jours à venir. Il faut vous demander comment mettre vos idées en application dans votre vie quotidienne. Par exemple, si vous décidez d'être davantage conscient dans le cadre de votre vie professionnelle, interrogez-vous sur les moyens concrets de faire avancer les choses. Si vous décidez d'être plus conscient dans l'une ou l'autre de vos relations avec autrui, **qu'allez-vous changer** dans votre comportement ? Si vous souhaitez affirmer votre confiance en vous-même et vous respecter davantage, il faut commencer tout de suite. Pensez à trois nouveaux comportements, dans le cadre de votre travail ou de vos relations avec les autres, que vous pouvez adopter dès cette semaine, et engagez-vous à vous y tenir.

Ensuite, progressivement, de semaine en semaine, vous élargirez votre champ de conscience, **un petit pas à la fois**. En matière d'estime de soi, inutile de rêver à des pas de géant, il suffit de s'engager dans l'action à petits pas, réguliers et constants, vers un champ de vision sans cesse plus étendu.

Non pas qu'une illumination soudaine ne puisse se produire, ni une brusque transformation, cela arrive. Mais en tout cas, cela n'arrive jamais à ceux qui attendent dans la passivité et dans la vacuité. Nous devons agir et partir de là où nous sommes. Chaque petite prise de conscience ouvre la porte à la suivante. L'essentiel est d'enclencher le processus.

IV

APPRENDRE À S'ACCEPTER

Si le respect des faits et de la réalité est l'essence même d'une vie en pleine conscience, l'acceptation de soi en est le test ultime. Quand nous devons affronter des faits nous concernant directement, vivre en pleine conscience peut soudain devenir très difficile. C'est alors qu'intervient le challenge de l'acceptation de soi.

Nous accepter implique que nous abordions les événements de notre vie d'une façon qui rende le concept d'approbation ou de désapprobation hors de propos. L'important est de désirer voir, savoir et être lucide.

Toutefois, s'accepter ne se conçoit pas sans le désir de changer, s'améliorer ou évoluer. En vérité, l'acceptation de soi est une **condition déterminante du changement**. En acceptant la réalité de ce que nous ressentons et de ce que nous sommes, à tous moments de notre existence, nous pouvons nous permettre d'être complètement conscients de la nature de nos choix et de nos actes, et notre évolution peut se poursuivre.

Exercice : face à face avec soi-même

→ Commençons par un exemple simple. Placez-vous **devant un miroir en pied**, puis **observez votre visage et votre corps**. Notez mentalement ce que vous ressentez. Sans doute aimez-vous certaines parties de vous-même et en détestez-vous d'autres. Si vous êtes comme la plupart des gens, vous avez du mal à fixer votre regard sur une des parties qui vous déplaît, car cela vous trouble ou vous remue.

Peut-être lisez-vous sur votre visage une douleur que vous souhaitez ne pas affronter. Peut-être y a-t-il même certains détails de votre morphologie que vous détestez au point de ne pouvoir poser votre regard dessus. Peut-être percevez-vous les signes de l'âge et ne pouvez supporter les pensées et les émotions qu'ils font surgir. La première réaction est alors de fuir, pour échapper à la conscience, de rejeter, de nier et de désavouer certains aspects de vous-même.

Malgré tout, restez fixé un peu plus longtemps sur votre image dans la glace, et dites-vous : « *Quels que soient mes défauts et mes imperfections, je m'accepte totalement et sans réserve.* » Continuez à vous examiner. Respirez profondément et répétez-vous cette phrase plusieurs fois, pendant une minute ou deux, sans accélérer le processus. Au contraire, analysez au fur et à mesure le sens profond de vos paroles.

Peut-être vous direz-vous : « *Puisque je n'aime pas certaines choses de mon corps, comment pourrais-je m'accepter totalement et sans réserve ?* Mais n'oubliez pas, *accepter* ne veut pas forcément dire *aimer*. *Accepter* ne veut pas dire que nous ne puissions imaginer ou souhaiter des changements ou des améliorations. Cela implique de faire l'expérience des faits, sans chercher à les nier ou à les éviter, et de se dire qu'un fait est un fait. En ce cas, cela implique d'accepter le visage et le corps qui se reflètent dans le miroir comme étant les nôtres, et qu'ils sont ce qu'ils sont. En persévérant, en vous soumettant à la réalité et à la conscience (ce qui veut dire *s'accepter*, finalement), vous vous sentez déjà moins stressé, peut-être déjà plus en harmonie avec vous-même, et plus réel aussi.

Même si vous n'aimez pas tout ce que vous voyez dans le miroir, au moins êtes-vous capable de vous dire : « *Voilà, c'est moi aujourd'hui, et je ne nie pas ce fait. Je l'accepte. C'est le respect de la réalité.* »

Pratiquez cet exercice **chaque matin et chaque soir pendant deux minutes**, et dans très peu de temps, vous vivrez de l'intérieur la relation qui existe entre l'acceptation et l'estime de soi. Un esprit qui honore ce qu'il voit s'honore lui-même.

Vous ferez également une autre découverte importante : non seulement vous serez en plus grande harmonie avec vous-même, non seulement vous renforcerez votre confiance en vous et vous respecterez davantage, mais s'il y a des aspects de vous-même qui vous déplaisent et que vous êtes en mesure de pouvoir changer, vous serez plus motivé pour effectuer ces changements une fois que vous aurez accepté les faits tels qu'ils sont. **Nous n'avons aucune énergie pour changer les choses dont nous nions l'existence.**

L'estime que nous nous portons ne dépend pas de notre séduction physique, comme le croient naïvement certaines personnes. Mais notre désir ou notre refus de nous voir et de nous accepter a des conséquences certaines sur notre estime de nous-mêmes. Notre attitude envers la personne que nous voyons dans la glace n'est qu'un exemple parmi d'autres de ce qu'implique l'acceptation de soi. Mais il y en a d'autres que nous allons voir maintenant.

Domestiquer sa peur

Admettons que vous deviez faire une petite allocution face à un groupe de gens et que cela vous fasse peur. Ou alors, vous êtes sur le point d'arriver à une fête où vous ne connaissez presque personne et vous êtes timide. Votre anxiété vous stresse et vous luttez contre elle comme le font la plupart des gens : vous vous contractez, vous retenez votre respiration et vous vous persuadez de ne pas avoir peur ou de ne pas être timide. Mais ce système ne marche pas. En réalité, il ne fait qu'empirer les choses. Votre corps envoie à votre cerveau des signaux d'alerte, les signaux du danger, auxquels vous répondez systématiquement par une lutte encore plus acharnée contre votre malaise, par la tension, par une privation d'oxygène et peut-être même par la colère ou par une sévère autocritique. Vous êtes en guerre avec vous-même parce que vous ne savez pas quoi faire d'autre. Personne ne vous a jamais enseigné, et vous n'avez jamais appris, qu'il existait une autre méthode beaucoup plus efficace : la méthode de l'acceptation de soi.

➡ En appliquant cette méthode, vous ne combattez pas votre sentiment de détresse. Au contraire, **vous respirez profondément** et l'acceptez. Peut-être vous dites-vous que vous êtes mort de peur, mais alors vous respirez lentement et profondément. Vous vous concentrez sur votre respiration calme et profonde, même si c'est difficile au début et que ça peut le rester pendant quelque temps. Il faut persévérer. Alors vous observez votre peur, vous en êtes le **témoin** sans vous identifier à elle. « *Si j'ai peur, j'ai peur, mais ce n'est pas une raison pour être inconscient. Je dois continuer à me servir de mes yeux, à voir ce qui se passe* ». Vous pouvez même « parler » à votre peur, l'inciter à vous faire envisager ce qui pourrait arriver de pire, afin que vous puissiez l'affronter et l'accepter également.

Cette méthode tend à vous extraire de vos fantasmes les plus éprouvants et vous permet d'avoir une juste vision de la réalité. Vous pouvez prendre conscience du moment où cette peur est née en vous et de la façon dont elle est apparue. Vous pouvez réaliser qu'elle est sans fondement et qu'elle est en réalité une réponse appropriée à ce qui se passe réellement. En l'acceptant totalement, vous pouvez enfin tirer un trait sur le passé et vous consacrer au présent. Peut-être votre peur ne disparaîtra-t-elle pas complètement, ou peut-être le fera-t-elle, parfois elle ne fait que s'atténuer, mais de toute façon, vous vous sentirez plus détendu et plus libre pour agir de manière efficace.

Nous nous sentons toujours plus forts quand nous n'essayons pas de lutter contre la réalité. Nous ne pouvons pas chasser notre peur par des cris, contre elle ou contre nous-mêmes, ou en nous blâmant. Mais si nous nous ouvrons à cette nouvelle expérience, restons conscients et nous souvenons que nous pouvons surmonter nos émotions, nous pouvons au moins dépasser nos pensées indésirables et souvent les dissiper, puisque l'acceptation totale et sincère a tendance, avec le temps, à dissoudre les pensées négatives ou indésirables comme le chagrin, la colère, l'envie ou la peur.

Quand quelqu'un a peur, il est généralement inutile de lui dire de se détendre. Cette personne ne sait pas quel comportement adopter pour suivre ce conseil. Mais si vous lui dites de respirer calmement et profondément, ou d'imaginer ce qu'elle éprouverait si elle n'avait pas peur, alors votre conseil est concret, c'est-à-dire que l'on peut réellement le mettre en pratique. Il faudrait pouvoir permettre à la peur d'exister en soi, et même de l'accueillir, de se familiariser avec elle, ou au moins, de l'observer sans s'identifier à elle et finalement, d'imaginer le pire qui puisse arriver et l'affronter. Tout le monde peut apprendre à se dire : « *J'ai peur et j'accepte cette réalité, mais je vaux plus que ma peur.* » En d'autres termes, ne vous identifiez pas à cette peur. Dites-vous : « *Je reconnais que cette peur existe et je l'accepte... Mais, voyons si je peux me souvenir de ce que ressent mon corps lorsque je n'ai pas peur.* »

C'est un conseil extrêmement efficace pour arriver à maîtriser sa peur (ou n'importe laquelle de vos pensées indésirables). Vous pouvez facilement apprendre à pratiquer cet exercice, vous y entraîner mentalement et l'appliquer chaque fois que la peur se présente.

Cette méthode s'applique à tous les types de peurs. La peur qui nous étreint sur le fauteuil du dentiste, celle qui précède une demande d'augmentation ou une interview difficile, celle que l'on ressent quand on doit annoncer à quelqu'un une mauvaise nouvelle, ou la peur d'être rejeté ou abandonné.

En apprenant à accepter votre peur, vous cessez de la considérer comme une calamité, et elle cesse de vous tenir à sa merci. Vous n'êtes plus torturé par des fantasmes, créés de toutes pièces par votre imagination, et n'ayant qu'un rapport lointain (ou pas de rapport du tout) avec la réalité. Vous êtes libre de considérer les situations et les faits tels qu'ils sont réellement. Vous vous sentez plus efficace. Vous exercez un meilleur contrôle sur votre vie. Votre confiance en vous s'affirme et vous vous respectez davantage.

L'estime de soi naît de ce processus, même lorsque vos peurs ne sont pas le fruit de votre imagination mais réellement issues de situations effrayantes.

J'avais une excellente amie qui, il y a quelques années, a été atteinte d'un cancer fulgurant. A l'époque, je trouvais que son courage pour affronter la maladie était extraordinaire. Un jour, alors que j'allais lui rendre visite à l'hôpital, elle m'a raconté cette histoire.

Les médecins l'avaient prévenue qu'elle devait subir une série de rayons. L'idée la terrifiait. Elle a alors demandé la permission de se rendre quelques minutes par jour dans la salle où se faisaient les rayons, trois jours avant le début du traitement. « *Je veux juste regarder la machine,* leur avait-elle dit, *me familiariser avec elle. Ainsi, je serais prête et n'aurais pas peur.* » Elle me dit : « *Je me suis assise en face de la machine pour la regarder... l'accepter... accepter ma situation... et méditer sur le fait que cette machine était là pour m'aider. Du coup, mon traitement s'est passé beaucoup plus facilement.* »

Finalement, elle est morte, mais je n'oublierai jamais sa sérénité et sa dignité. Elle savait estimer sa propre valeur. C'est le plus bel exemple d'acceptation qu'il m'ait été donné de rencontrer.

Exercice : analyser ses sensations

➡ Prenez quelques minutes pour étudier de près certaines de vos pensées ou de vos émotions que vous avez du mal à affronter : le sentiment d'insécurité, la souffrance, l'envie, la rage, le chagrin, l'humiliation, la peur. Après avoir isolé cette pensée ou cette émotion, essayez de la considérer avec plus de netteté, peut-être en imaginant précisément ce qu'elle évoque pour vous. Puis, respirez avec ces images en tête, comme si vous ouvriez votre corps afin de mieux les recevoir. Imaginez ce que vous ressentiriez si vous arrêtiez de résister à cette sensation, mais l'acceptiez totalement. Prenez le temps qu'il faut pour réellement vivre cette expérience.

Pour ce faire, dites-vous : « *En ce moment, j'éprouve telle ou telle sensation* (quelle qu'elle soit), *et je l'accepte totalement.* » Au début, cela peut vous sembler difficile. Il se peut que vous crispiez votre corps pour protester contre elle. Mais persévérez : concentrez-vous sur votre respiration ; donnez à vos muscles l'autorisation de se relâcher ; répétez-vous : « *Un fait est un fait. Ce qui est, est. Si j'éprouve cette sensation, c'est qu'elle existe.* » Continuez à l'observer de près. Permettez-lui d'être là (plutôt que d'essayer par tous les moyens de la chasser de votre tête). Comme moi, vous trouverez peut-être utile de vous dire à vous-même : « *J'explore à présent le monde de la peur*, ou *de la souffrance*, ou *de l'envie*, ou *de la confusion* (ou quel qu'il soit). »

Ainsi, vous explorerez le monde de l'acceptation de soi.

J'ai dû consulter un médecin, à une époque, pour subir une série de piqûres assez douloureuses. Pour résister au choc et à la douleur de la première injection, j'ai retenu ma respiration et crispé tout mon corps, comme si je voulais tenir en respect une armée d'envahisseurs. Naturellement, mes muscles tendus ont rendu la pénétration de l'aiguille plus difficile et ma douleur n'en a été que plus vive.

Ma femme, Devers, qui était présente, elle aussi, pour subir le même traitement que moi, a remarqué ma réaction et m'a dit : « *Quand tu sens l'aiguille toucher ta peau, respire profondément, comme si tu voulais l'aider, par ta respiration, à pénétrer dans ta chair. Imagine que tu accueilles l'aiguille.* » J'ai tout de suite compris que c'était précisément ce que j'indiquais à mes patients de faire avec leurs émotions. J'ai donc suivi le conseil de Devers, et l'aiguille est rentrée sans que je la sente ou presque. J'avais accepté l'aiguille, et toutes les sensations venant s'y attacher, au lieu de les considérer comme des adversaires.

Cette technique est familière, bien sûr, aux athlètes et aux danseurs, dont le travail exige d'eux qu'ils pactisent avec la douleur plutôt que de se contracter contre elle. Et les exercices respiratoires particuliers, enseignés aux femmes enceintes pour contrôler et adoucir leur douleur, leur anxiété et les réactions de leur corps, mettent en application le principe dont nous sommes en train de parler.

Il m'arrive parfois de travailler, en thérapie, avec des femmes qui ont du mal à atteindre l'orgasme lors de leurs relations sexuelles. Comme la peur est souvent une émotion qui inhibe le plaisir, et donc l'orgasme, et comme elle se manifeste généralement par une retenue de la respiration et une crispation des muscles, comme pour mieux se défendre contre la pénétration du pénis, je conseille à ces femmes d'inverser le processus. Je leur apprends à respirer lorsque le pénis entre, à l'accepter. Elles apprennent à se détendre pour l'accueillir, au lieu de se crisper pour le rejeter.

En agissant ainsi, elles apprennent à accepter et atteignent un degré plus élevé de confort et de plaisir pendant les rapports sexuels car elles se plient à l'expérience plutôt que de lutter contre elle. Le plaisir sexuel en devient d'autant plus grand. Par la même occasion, bien sûr, leurs idées fantasques concernant la peur de souffrir à cause du pénis ou d'être détruites par lui, ou encore la peur de perdre la maîtrise de soi, tendent à disparaître. Une femme qui s'autorise clairement à atteindre l'orgasme exerce un meilleur contrôle d'elle-même qu'une autre paralysée par la peur. En fait, l'acceptation nous rend disponible à la réalité.

Le principe dont il faut se souvenir reste le même, que nous nous contractions contre la peur ou contre le plaisir : **il ne faut pas se poser en adversaire face à sa propre expérience**. Si vous laissez s'installer un climat de guerre en vous-même, vous intensifiez les aspects négatifs, tout en vous privant des aspects positifs.

Les personnes dont je parle dans les quatre exemples suivants ont eu à choisir entre l'acceptation de soi et le désaveu de soi.

L'attraction sexuelle : Lucien ou Marcia

• *L'acceptation de soi.* Lucien a réalisé qu'il était attiré sexuellement par sa voisine de palier. Il se considérait comme quelqu'un d'heureux en ménage, et sa première réaction a été de se faire des reproches. Mais il a vite compris qu'il valait mieux se comprendre soi-même que de se blâmer aveuglément.

Il s'est autorisé à vivre (intérieurement) cette attirance sexuelle. Il a été attentif aux sensations qu'éveillait en lui sa voisine et il a laissé libre cours à ses fantasmes. Il a très vite pris conscience que ce n'était pas tant la voisine qui l'attirait, mais une nouvelle stimulation. Ce n'était même pas parce qu'il s'ennuyait avec sa femme, c'est parce qu'il s'ennuyait à son travail. Il a perçu une nouvelle femme comme une promesse de son efficacité, chose que son travail ne lui offrait plus depuis longtemps.

Il ne s'est pas senti coupable. Il a simplement considéré sa réaction face à sa voisine comme une source d'information intéressante quant à ses frustrations intérieures. Il savait qu'il ne trahirait pas sa femme, mais il s'est autorisé à imaginer ce que serait une histoire d'amour avec sa voisine. Le soir même, au dîner, il a dit à sa femme : « *Cet après-midi, je me suis assis pendant une heure dans le jardin et j'ai eu une histoire d'amour de huit mois avec la voisine d'à côté.* » La sérénité et le ton de sa voix ont indiqué à sa femme qu'il n'y avait pas lieu d'avoir peur. Aussi, elle lui a demandé : « *Et comment c'était ?* » Lucien a alors pris sa femme par la main et lui a répondu : « *Frustrant. Fade. Ce n'était pas ça la réponse. Mais je pense qu'un nouveau travail pourrait l'être.* »

• *Le désaveu de soi.* Ce que Lucien ne savait pas, c'est que sa voisine, Marcia, éprouvait des pulsions érotiques pour lui, mais comme elle se sentait coupable d'avoir ce genre de sensations, elle les réprimait. Elle est devenue de plus en plus tendue avec son mari et ses enfants. Elle avait des crises de larmes qu'elle ne pouvait expliquer. Quand elle croisait Lucien, elle était tantôt revêche, tantôt charmeuse, comme le sont les enfants qui ne savent pas encore bien ce qu'ils font.

Depuis longtemps déjà, Marcia n'était plus heureuse dans son couple, mais elle ne s'autorisait pas à affronter cette idée dans la mesure où, pour elle, le divorce était synonyme d'échec et d'humiliation. Si elle s'était permise d'accepter et d'analyser son sentiment pour Lucien, et peut-être même d'en discuter avec son mari, elle y aurait gagné une vision plus large et plus valable de sa situation. Mais comme on lui avait toujours appris que penser à un autre homme que son mari était aussi mal que de commettre l'adultère, et qu'elle ne voulait pas faire le mal, sa seule solution était de rester dans l'inconscience.

Au bout du compte, après des années de détresse et de non-communication, son mari a demandé le divorce. Se sentant trahie, abandonnée, et victime, elle ne cessait de répéter : « *Pourquoi faut-il toujours que ce soient les bons qui souffrent.* »

➡ Dans ces deux histoires, voyez-vous des analogies avec vous-même ?

Dans la famille : Gina ou Mark

• *L'acceptation de soi.* Après le divorce de Gina, quand ses enfants lui ont dit qu'ils préféraient aller vivre avec leur père, elle s'est effondrée. Elle savait bien qu'elle avait été une mère impatiente, désagréable et inattentive, et que son ex-mari s'occupait bien plus qu'elle de l'éducation des enfants. Ce n'était pas facile à admettre, car pénible à supporter.

Mais une fois les enfants partis, elle a eu tout le temps d'être seule et de se pencher sur son passé. « *La vérité,* a-t-elle fini par s'avouer, *c'est que je n'ai jamais voulu être mère. Je l'ai été car je pensais devoir le faire.* » Elle a passé de longues heures à méditer en silence sur ses choix passés, non pas dans le but de se critiquer, mais afin de mieux se comprendre. Elle a même admis qu'il valait mieux pour ses enfants vivre avec leur père qu'avec elle. Puis, progressivement, elle en est venue à accepter quelque chose de bien plus difficile, car remettant en question tout ce qu'elle avait toujours appris : elle était heureuse que ses enfants aient choisi de vivre avec leur père.

D'un seul coup, elle s'est sentie libre et désencombrée pour la première fois de sa vie. De ce fait, quand elle était avec ses enfants, et elle avait choisi de les voir souvent, ils trouvaient que leur mère était plus heureuse et affectueuse qu'elle n'avait jamais été jusqu'à présent. Quand ses amis et relations essayaient de la culpabiliser en lui disant qu'elle était une « *mère indigne* », elle les regardait tranquillement et n'essayait même pas de se défendre. Elle savait qui elle était et s'était acceptée. C'est tout ce qui comptait.

« *Je regrette mes erreurs passées*, se disait-elle, *mais je ne pense pas que la façon de me racheter soit de les perpétuer en continuant à répudier mes désirs et mes besoins.* »

• *Le désaveu de soi.* Un jour, alors que Jack était dans sa soixante-deuxième année, son fils Mark, 25 ans, a essayé de lui parler à propos de ce qu'avait été sa vie en tant que « fils de Jack ». « *J'avais terriblement peur de toi quand j'étais petit*, a dit Mark. *Tu étais tellement violent, je ne savais jamais quand tu allais t'énerver et me lancer une claque.* » Le père, en colère, l'a tout de suite interrompu : « *Je n'ai pas envie d'entendre parler de ça.* » Mark a répondu patiemment : « *Ecoute, Papa, je sais bien que ce n'est pas très agréable pour toi. Tu dois penser que mon intention est de te faire des reproches et de te mettre mal à l'aise. Mais ce n'est pas le cas. Je veux que nous soyons amis. Je veux aussi compren-*

dre d'où tu viens. *Tu as dû être terriblement malheureux.* » Mais Jack a refusé d'écouter. Il ne niait pas plus ses comportements passés avec son fils qu'il ne les admettait, mais préférait que les faits restent dans une sorte de flou, mi-réels mi-irréels, enveloppés d'un épais brouillard. Mark a essayé maintes et maintes fois de revenir sur le sujet, mais sans succès. « *Pourquoi est-ce que tu ne m'écoutes pas*?, hurlait Mark. *Pourquoi n'acceptes-tu pas la réalité de ce qu'étaient les faits*?. » Un jour, son père s'est mis à hurler lui aussi : « *Et toi, pourquoi n'acceptes-tu pas que je ne serai jamais le père que tu veux*? » Les deux hommes se sont regardés en silence, mutuellement en état de choc, comme s'ils avaient soudain eu conscience de quelque chose d'intime les concernant, et qu'ils souhaitaient l'oublier très vite. « *Il est impossible que j'aie été aussi cruel qu'il veut bien le dire* », se disait le père en fermant son esprit à cette éventualité. « *Il est impossible que je me montre aussi féroce* », se disait le fils en fermant lui aussi son esprit à cette éventualité. Et les hurlements ont repris.
➡ En étudiant la psychologie de ces deux personnes, voyez-vous des analogies avec vous-même ?

Accepter son refus de s'accepter

A présent, abordons un autre point. Supposons que notre réaction négative face à une situation soit si forte qu'il nous semble impossible de pactiser avec l'acceptation de soi. La sensation (la pensée ou le souvenir), évoquée par notre réaction, nous afflige et nous perturbe à tel point que l'accepter semble hors de question. Nous n'arrivons pas à ne pas nous bloquer ou nous contracter. La solution n'est pas d'essayer de résister à cette résistance. Si nous ne pouvons accepter une sensation (une pensée ou un souvenir), nous devons au moins accepter notre résistance. C'est-à-dire commencer par accepter la situation où nous sommes. Si nous persistons dans notre résistance, mais en étant conscients de le faire, elle va commencer à s'estomper.

Si nous pouvons accepter le fait que maintenant, à ce moment précis, nous refusons par exemple d'accepter de nous sentir envieux, en colère, malheureux ou impatients, ou que nous refusons d'accepter qu'un jour, nous avons agi de telle ou telle manière ou cru en ceci ou cela, si nous prenons conscience de notre résistance, en faisons l'expérience et l'acceptons, nous mettons à jour un paradoxe suprêmement important : la résistance commence à s'estomper. Quand on lutte contre un blocage, il s'intensifie, tandis que si on le reconnaît et qu'on l'accepte, il se dissout. En effet, il n'est pas vivable d'être en conflit perpétuel avec soi-même.

Victor le colérique

Parfois, en thérapie, quand une personne a des difficultés pour accepter une pensée ou une émotion, je lui demande si elle accepte le fait qu'elle refuse de l'accepter. J'ai posé cette question-là à Victor, un pasteur qui avait beaucoup de mal à reconnaître en lui ses accès de colère, et même à vivre avec eux. Pourtant, il était bel et bien un homme coléreux. Ma question l'a désorienté : « *Devrais-je accepter que je n'accepte pas mon tempérament irascible ?* », m'a-t-il demandé. Puis il a souri et m'a dit : « *Eh bien, c'est vrai !* » Et d'une voix tonitruante, il a affirmé : « *Je refuse d'accepter ma hargne et je refuse d'accepter ce refus !* » J'ai ri et lui ai demandé : « *Acceptez-vous au moins ce refus d'accepter ce refus ? Il faut bien commencer quelque part. Commençons par là.* »

Je lui ai demandé alors de se placer face au groupe, de dire « *Je ne suis pas hargneux* », et de répéter inlassa-

blement cette phrase. Très vite, il s'est mis à la prononcer d'une voix exaspérée.

Puis je lui ai fait dire : « *Je refuse d'accepter ma hargne* », une phrase qu'il a prononcée de plus en plus fort,
jusqu'à la hurler.

Puis je lui ai fait dire : « *Je refuse d'accepter mon
refus d'accepter ma hargne.* » Le ton, cette fois, était
féroce.

Puis je lui ai fait dire : « *Mais je souhaite accepter
mon refus d'accepter mon refus.* » Et il a répété cette
phrase jusqu'à ce que, finalement, il lâche prise et se
joigne aux rires du groupe.

« *J'ai compris*, a-t-il dit avec un sourire épanoui, *si on
accepte l'expérience, il faut aussi accepter la résistance.*
— *C'est ça. Et si vous ne pouvez accepter votre résistance, acceptez au moins votre résistance à accepter
cette résistance. L'idée est d'aboutir à un point que l'on
peut accepter. Ensuite, à partir de là, on peut
avancer.* »

Le visage de Victor s'est illuminé. « *Quand on fait
consciemment l'expérience de la résistance ou du refus,
et qu'on la vit totalement, on provoque une sorte de
court-circuit. Une porte s'ouvre et on entre soudain des
deux pieds dans la réalité de son expérience.*
— *C'est exactement ça. Alors, êtes-vous irascible ?*
— *Je suis empli de hargne.*
— *Pouvez-vous accepter ce fait ?*
— *Je ne l'aime pas.*
— *Nous le savons tous. Mais pouvez-vous l'accep-
ter ?*
— *Je peux l'accepter.*
— *S'il vous plaît, regardez-moi et dites : Nathaniel, je
suis vraiment hargneux.*
— *Nathaniel, je suis vraiment hargneux.*
— *Encore, s'il vous plaît.*
— *Nathaniel, je suis vraiment hargneux.*
— *Bien. A présent, nous pouvons commencer à cher-
cher les raisons de cette hargne.* »

Exercice : ce qu'on n'admet pas

J'utilise un outil extraordinairement efficace pour cultiver la conscience et l'acceptation de soi, ainsi que l'enrichissement personnel, c'est la technique des fins de phrase, dont j'ai largement parlé dans deux précédents livres, *If You Could Hear What I Cannot Say* et *To See What I See and Know What I Know*. Une des versions de cette technique peut nous être utile ici. Tout ce qu'il faut, c'est un crayon et un carnet.

➡ Commencez une nouvelle page du carnet pour chaque début de phrase que je vais vous proposer. Suivez l'ordre indiqué. Dès que vous avez écrit un début de phrase en haut d'une page, complétez-le en inscrivant ce qui vous vient le plus rapidement à l'esprit (entre six et dix fins de phrase à chaque fois). Ne vous inquiétez pas de savoir si ce que vous écrivez correspond absolument à la réalité ou si l'une de vos propositions est en contradiction avec une autre. Aucune d'elles n'est définitivement gravée dans le marbre. Il s'agit simplement d'un exercice, d'une expérience.

Peut-être espérez-vous vous persuader que vous n'en êtes pas capable. Je vous assure que vous l'êtes. J'ai pratiqué cette méthode avec des milliers de gens, et si certains commencent toujours par dire qu'ils ne peuvent pas, finalement, ils y arrivent très bien.

En haut de la première page, écrivez : « **Parfois, quand je me penche sur mon passé, j'ai du mal à croire qu'un jour j'ai...** A présent, écrivez entre six et dix propositions qui complètent cette phrase. Allez-y !

Puis, en haut de la page suivante, écrivez : « **Il n'est pas facile pour moi d'admettre que...**, et complétez avec vos fins de phrase à vous.

Puis :
« **Une des émotions que j'ai le plus de mal à accepter est...**

« Celui de mes actes que j'ai le plus de mal à accepter est…

« Une des pensées que je voudrais chasser de ma tête est…

« L'aspect de mon corps que j'ai le plus de mal à accepter est…

« Si j'arrivais à mieux accepter mon corps…

« Si j'arrivais à mieux accepter certaines choses que j'ai faites…

« Si j'arrivais à mieux accepter mes sensations…

« Si j'étais plus honnête envers mes désirs et mes besoins…

« S'il y a une chose effrayante dans le fait de s'accepter soi-même, c'est…

« Si les gens pouvaient voir que je commence à m'accepter…

« L'avantage de s'accepter soi-même, c'est que…

« Je suis en train de prendre conscience que…

« Je commence à éprouver…

« Plus j'apprends à cesser de renier ma propre expérience, et plus…

« Plus je respire profondément et m'autorise à m'accepter moi-même, et plus…

Je dois vous mettre en garde : si vous vous contentez de lire ces débuts de phrase et de ne pas mettre l'exercice en pratique, comme je l'ai indiqué, vous allez vous priver de découvertes à votre sujet que je ne peux faire à votre place.

Je suis sûr que maintenant, vous avez compris que s'accepter est essentiel pour avancer de façon positive. Si je refuse d'accepter le fait que je vis souvent de façon irresponsable, comment pourrai-je apprendre à assumer mes responsabilités ? Si je refuse d'accepter le fait que je vis souvent de manière passive, comment pourrai-je apprendre à vivre plus activement ?

Je ne peux pas surmonter une peur dont je nie l'existence. Je ne peux venir à bout d'un problème sexuel si je n'admets pas qu'il est réel. Je ne peux soigner une douleur que je refuse de reconnaître mienne. Je ne peux changer un trait de caractère si je m'obstine à dire qu'il ne me concerne pas. Je ne peux me pardonner pour un acte que je ne reconnais pas avoir commis.

Accepter ses défauts pour changer

S'accepter soi-même, c'est accepter le fait que ce que nous pensons, ressentons et faisons est le reflet de notre moi intérieur **au moment où cela se passe**.

Mais cela ne veut pas dire que nos pensées, nos émotions et nos actes soient déterminants de ce que nous sommes, à moins que nous ne les coulions dans un ciment fait de nos refus et de nos désaveux de nous-mêmes.

Laissez-moi partager avec vous le souvenir d'un autre exemple personnel qui éclaire cette question.

Il y a des années de cela, ma femme Patricia, que j'ai beaucoup aimée, est morte. Pendant longtemps, mon esprit n'a cessé de passer en revue différents aspects de notre relation. Je me souviens d'incidents où je lui avais manqué d'égards ou m'étais montré dur envers elle. Je voulais chasser de ma tête ce genre de souvenirs car ils étaient intolérablement douloureux. Je ne les niais pas complètement, mais ne les acceptais pas non plus complètement. Je laissais ces souvenirs et leurs implications s'assimiler et s'intégrer en moi. Une part de moi-même était coupée du reste.

Plus tard, je me suis remarié et je suis toujours profondément amoureux de mon actuelle épouse, Devers. Mais je me suis pourtant surpris à renouveler les manques d'égards et de considération dont j'avais fait preuve auparavant. J'ai repensé alors à une chose que j'enseigne aux gens : **si je ne peux accepter complète-**

ment certains de mes comportements passés, il est à peu près inévitable que, sous une forme ou sous une autre, je reproduise ces comportements.

Aussi ai-je essayé de retrouver ces moments de mon précédent mariage où j'ai agi de façon déplaisante, n'ai pas répondu à l'appel de Patricia alors qu'elle avait besoin de ma compréhension ou de mon aide, me suis montré terriblement impatient, ou me suis laissé absorber par mon travail, toutes ces imperfections et ces indélicatesses quotidiennes que l'amour ne vous empêche pas forcément de commettre.

M'obliger à me souvenir d'exemples précis et à revoir tout dans les détails m'était très pénible. M'obliger à regarder clairement mes actes en face était perturbant à un point qui dépasse les mots, puisque Patricia n'était plus et que je ne pouvais donc la dédommager. Mais je savais que si je persévérais et si j'arrivais à être aussi clairvoyant sur mes comportements actuels avec Devers, il arriverait deux choses : d'abord je me sentirais plus intègre, et ensuite je serais moins susceptible de reproduire des actes que je regretterais plus tard.

➡ Vous aussi, repensez à un de vos actes que vous regrettez. Essayez de **laisser tomber le côté blâme** et ne retenez que l'expérience de vous-même en tant qu'auteur de l'acte en question. Notez ce que vous ressentez en acceptant qu'à un moment donné de votre vie, vous ayez choisi d'agir comme cela. Que vous fait éprouver cette marque d'honnêteté envers vous-même ? Qu'apprenez-vous de plus sur l'estime de soi ?

Après avoir accepté le fait que nos actes sont NOS actes, il reste encore le problème de leur compréhension. Vous verrez dans le chapitre suivant qu'il y a beaucoup à dire sur le processus de compréhension de nos actes (y penser et interpréter leurs significations), pour enrichir son estime de soi et non pas la ternir. Mais pour l'instant, je dirai juste ceci : les erreurs que nous sommes prêts à affronter sont autant de barreaux sur l'échelle qui nous permet de faire grimper notre estime de nous-mêmes.

Accepter ses qualités pour avancer

Tout ce que nous avons la possibilité de vivre, nous avons aussi la possibilité de le désavouer, immédiatement ou plus tard, dans notre mémoire. Tout ce qui ne colle pas avec notre image *officielle* de nous-mêmes, ou avec notre système officiel de valeurs, ou encore tout ce qui crée une anxiété, pour une raison ou pour une autre, nous pouvons le rejeter.

Je peux refuser d'accepter ma sensualité. Je peux refuser d'accepter ma spiritualité. Je peux désavouer mon chagrin ou ma joie. Je peux refouler le souvenir d'actes dont j'ai honte. Je peux nier mon ignorance ; je peux nier mon intelligence. Je peux refuser d'accepter mes limites ; je peux refuser d'accepter mes possibilités. Je peux cacher mes faiblesses ; je peux cacher mes forces. Je peux nier mes sentiments de haine pour moi-même ; je peux nier mes sentiments d'amour pour moi-même. Je peux prétendre que je suis supérieur à ce que je suis ; je peux prétendre que je suis inférieur à ce que je suis. Je peux désavouer mon corps ; je peux désavouer mon esprit.

Tout ce qui touche à la non-acceptation de soi s'inscrit en négatif. Nous pouvons avoir tout autant peur de nos qualités que de nos défauts, craindre notre génie, notre ambition, notre enthousiasme ou notre beauté, autant que notre platitude, notre passivité, notre pessimisme ou notre manque de séduction. **Nos engagements posent le problème de l'inadéquation ; quant à nos atouts, ils mettent notre responsabilité en jeu**.

Nos forces et nos qualités peuvent nous donner un sentiment de solitude, d'aliénation, l'impression que nous sommes à l'écart du troupeau, la sensation d'être en butte à l'envie des autres et à leur hostilité, et notre désir « *d'intégration* » peut alors devancer notre désir d'agir au maximum de nos possibilités. Le fait, par exemple, que de nombreuses femmes associent l'intelligence et la réussite au manque d'amour et de féminité, est un fait bien connu. Avoir la volonté d'admettre, même au plus profond de soi : « *Je sais faire certaines choses dont les autres ne sont pas capables* » peut demander un grand courage. De même que de se dire : « *Je suis le plus intelligent de la famille* », ou « *Je suis particulièrement bien physiquement* », ou « *J'attends plus de la vie que quiconque autour de moi* », ou encore « *Je suis capable de voir plus loin et avec plus de clairvoyance.* »

Lorraine en-dessous de zéro

Je me souviens d'une jeune femme qui est venue me consulter il y a plusieurs années de cela. Lorraine avait 24 ans, le visage d'un ange, et jurait comme un charretier. Elle avait essayé toutes les drogues dont j'avais entendu parler, et certaines autres que je ne connaissais pas. A 18 ans, elle vivait dans le sous-sol d'un établissement universitaire où on lui offrait le gîte et le couvert en échange de quelques services sexuels. Elle était maintenant serveuse dans un bar. Elle est tombée par hasard sur mon livre *The Psychology of Self-Esteem*, et s'est sentie concernée. Elle a donc pris un rendez-vous à mon cabinet.

Elle a tout fait pour que je ne l'aime pas. Et pourtant, je l'aimais bien. J'étais convaincu qu'elle dissimulait, derrière un cloaque de dégradation, une personnalité extraordinaire. Je me souviens d'une séance où, grâce à l'hypnose, je lui ai fait revivre un épisode de sa vie de lycéenne. Elle s'est alors mise à pleurer. Le professeur était en train de poser des questions au hasard à différents élèves. Je l'ai entendue murmurer : « *Mon Dieu, s'il vous plaît, faites qu'elle me pose une question à laquelle je ne sache pas répondre.* » « *Pourquoi ?* », lui ai-je aussitôt demandé. « *Parce qu'ils vous détestent*, a-t-elle répondu, *ils vous détestent si vous en savez trop. Ils vous détestent si vous êtes trop fort.* »

Mais elle n'était pas exceptionnellement intelligente. Petite fille, elle était grande pour son âge, bien bâtie et extrêmement bien proportionnée. Dans presque tous les sports, elle était plus forte que la plupart des garçons. Ce qui humiliait ses frères aînés et les rendait furieux. Du coup, ils la battaient, la ridiculisaient et la tourmentaient sans cesse. Sans jamais ouvrir un livre, elle était dans les premiers de sa classe. Dans la petite ville où elle vivait, personne ne lui ressemblait, elle n'avait personne à qui parler. Elle se sentait détestée de sa famille, mais détestée à cause de ses valeurs profondes, pas à cause de ses défauts.

Adolescente, elle a enclenché un processus d'auto-destruction systématique qui était à la fois une vengeance contre ses parents et un appel au secours.

Un jour, après six mois de thérapie ensemble, elle s'est prise de colère contre moi. Comme elle n'arrivait pas à en exprimer les raisons, je lui ai proposé quelques phrases à compléter.

« **Ce qui ne va pas avec vous, Nathaniel, c'est que...**
— *Vous croyez en moi !*
— *Vous refusez de voir la pourriture en moi !*
— *Vous me faites éprouver ma douleur.*
— *Vous me faites sentir qu'il y a de l'espoir.*

Elle était à mi-chemin entre les larmes et la colère. Mais elle a continué.

— *Vous me faites croire en moi !*
— *Vous me ramenez à la vie.*

— *Vous ne me voyez pas avec le même regard que les autres.*

— *Je vous déteste !*

A présent, elle sanglotait et ne cessait de répéter entre ses larmes « *C'est tellement dur...*

— *Qu'est-ce qui est si dur ?* »

Elle m'a alors lancé un regard de petit animal sauvage, oscillant entre la peur et l'espoir. « *C'est d'admettre que ce que vous voyez existe bel et bien. Que vous avez raison. Que je suis intelligente. Que je suis spéciale. Que je suis bonne.* »

Encore maintenant, 20 ans après, ce moment reste vivant en moi comme une des grandes récompenses que m'apporte mon métier de psychothérapeute : le moment où je vois un être humain s'armer de tout son courage pour admettre et accepter qu'il est quelqu'un de bien.

Au bout de 18 mois de thérapie, elle s'est inscrite à l'université de Los Angeles pour étudier l'art d'écrire. Quelques années plus tard, elle était journaliste et s'est mariée.

Un jour, je l'ai rencontrée dans la rue par hasard, une dizaine d'années après sa thérapie. Si elle n'était pas venue vers moi avec un grand « *Bonjour !* » enjoué, j'aurais tout aussi bien pu ne pas la reconnaître. Elle était bien habillée, sûre d'elle, extraordinairement chaleureuse, imperturbable.

« *Je ne sais pas si vous vous souvenez de moi, mais moi, je me souviens de vous* », me dit-elle.

J'ai hésité un moment, et puis « *Vous êtes... Lorraine ?*

— *Mais oui, c'est moi.*

— *Quel plaisir de vous voir !*

— *Vous savez qui vous êtes Nathaniel ?*

— *Qui je suis ?*

— *Vous êtes l'homme qui a refusé de me voir comme une moins que rien. Vous avez vu en moi quelqu'un de spécial. Et vous m'avez aidée à le découvrir. Mais alors, si vous saviez comme j'ai pu vous détester parfois ! Accepter qui j'étais, qui j'étais réellement, a été la chose la plus difficile de toute ma vie. Tout le monde raconte à quel point c'est dur d'accepter ses fautes. Il faudrait que quelqu'un dise enfin à quel point c'est dur d'accepter ses qualités. »*

Parfois, le chemin qui mène à l'estime de soi est solitaire et effrayant. Nous ne pouvons jamais prédire les satisfactions que nous en tirerons après, dans notre vie. Mais plus forte est notre volonté de connaître et d'accepter les différents aspects de nous-mêmes, plus riche est notre monde intérieur, plus grandes sont nos ressources et plus nous nous sentons adaptés aux enjeux et aux opportunités de l'existence. Il est aussi des plus probables que nous découvrions **un nouveau mode de vie,** en harmonie avec nos propres besoins, ou le créions.

Le confort de se sous-estimer

Nous avons donc traité l'acceptation de soi en tant qu'application de la rationalité et du réalisme. Il s'agit de respecter notre propre expérience, de refuser d'être en guerre avec nous-mêmes. Beaucoup de gens éprouvent des difficultés à saisir cette idée.

L'acceptation de soi, au sens ultime du terme, c'est une reconnaissance de son sens personnel des valeurs et un engagements vis-à-vis de soi qui découlent essentiellement du fait que je suis vivant et conscient, que j'existe. C'est une expérience encore plus profonde que celle de l'estime de soi. C'est le premier pas vers l'affirmation de soi, une sorte d'égoïsme primitif, une sorte de droit acquis à la naissance par tout organisme conscient et pourtant les êtres humains ont le pouvoir de réagir contre lui ou même de l'annuler.

Peut-être allez-vous mieux comprendre tout cela en lisant ce qui suit.

Parfois, en thérapie, après qu'un patient se soit largement étendu sur son manque d'estime de lui-même, je cherche à lui fournir des ouvertures en lui proposant la méthode des phrases à compléter. Voilà le type de phrase que je propose :

« Et si je voulais finalement admettre qu'au fond, j'aime ce que je suis...

Après les habituelles protestations de la part de mes patients, voici les terminaisons qu'ils donnent le plus souvent :

— *Mais admettons que les autres ne soient pas d'accord ?*

— *Je serais bien embarrassé.*

— *Il faudrait que je ravive un grand nombre de douleurs enfouies.*

— *Vous seriez bien étonné.*

— *Beaucoup de gens seraient choqués.*

— *Je serais terrorisé.*

— *Ma famille n'aimerait pas ça.*

— *Je n'aurais plus l'excuse d'être passif.*

— *Je pourrais enfin vivre vraiment ma vie.*

Ensuite, je suggère ce début de phrase : **« Ce qu'il y a de bien en prétendant que je ne m'aime pas, c'est que...**

— *Je peux me battre contre les autres.*

— *J'ai une excuse.*

— *Personne n'attend rien de moi.*

— *Les gens sont désolés pour moi.*

— *Je suis dispensé de faire quoi que ce soit.*

— *C'est plus facile.*

— *C'est ce que mes parents attendent de moi.*

« Si j'avais le courage d'admettre que, malgré mes défauts, j'aime ce que je suis...

— *Je me sentirais libre.*
— *Je dirais la vérité.*
— *Je devrais me séparer de ma famille.*
— *Je me respecterais.*
— *Ce serait comme de découvrir un nouveau monde.*
— *Tout changerait.*
— *Le monde s'ouvrirait à moi.*

Je vous conseille de prendre votre temps, et de lire à nouveau ces différentes terminaisons. Elles révèlent des sentiments profonds qui peuvent être en rapport avec les vôtres.

L'acceptation de soi est l'attitude que cherche à susciter tout psychothérapeute efficace chez ses patients, même ceux qui ont une lamentable estime d'eux-mêmes. Cette attitude leur permet d'affronter ce qui leur fait le plus peur en ce qui les concerne profondément, sans sombrer dans la haine d'eux-mêmes ou le refus de leurs valeurs propres en tant que personnes, et sans renoncer au désir de vivre. Ces patients peuvent éprouver de la peine en constatant qu'ils ne s'estiment pas, mais pourtant l'accepter comme une réalité, de même que leurs doutes et leurs sentiments de culpabilité. « *J'accepte tout cela comme faisant actuellement partie de ce que je vis.* »

Il arrive que certaines personnes mélangent tout au sujet de l'estime de soi en déclarant que tout le monde devrait s'estimer, malgré les failles et les ratés. C'est absolument impossible. Elles confondent l'estime de soi, qui dépend nécessairement de certaines conditions, et l'acceptation de soi, qui peut être inconditionnelle.

Exercice : apprendre à s'accepter

Voici quelques phrases simples à compléter qui vont vous permettre d'aborder la question de l'acceptation de soi dans votre vie à vous.

➡ Prenez un carnet et, en haut d'une page, inscrivez la phrase : « **Il arrive que je me déteste quand...** et notez entre six et dix terminaisons qui vous viennent tout de suite à l'esprit. Là encore, ne vous inquiétez pas si elles ne correspondent pas toutes à la réalité. Ne vous censurez pas car vous n'apprendrez rien.

Ensuite, faites de même avec les débuts de phrase suivants :

« **Une des choses que je déteste en moi, c'est...**

« **Une des choses que j'aime en moi, c'est...**

« **Je m'aime moins quand je...**

« **Je m'aime davantage quand je...**

« **L'image que ma mère m'a donnée de moi, c'est...**

« **L'image que mon père m'a donnée de moi, c'est...**

« **Quand je sens qu'on ne m'aime pas, je...**

« **Quand je suis fier de quelque chose qui n'intéresse personne ou que personne ne comprend, je...**

« **Et si je voulais admettre qu'au fond, j'aime ce que je suis...**

« **Ce qu'il y a de bien en prétendant que je ne m'aime pas, c'est que...**

« **Ce qui me fait peur à l'idée d'admettre que, malgré mes erreurs, j'aime ce que je suis, c'est...**

« **Je suis en train de prendre conscience que...**

« **Si seulement ce que j'écris pouvait être vrai, je...**

« **Si je voulais bien respirer profondément et m'autoriser à vivre pleinement les joies de l'existence, je...**

Si vous pratiquez consciencieusement cet exercice, et jusqu'au bout, il y a de fortes chances pour que vous rencontriez **cette partie de vous-même** enfouie plus profondément que vos doutes, vos peurs et votre sentiment de culpabilité. Du moins je l'espère.

Cependant, cette découverte n'est pas toujours accueillie avec plaisir. Elle fait peur, parfois. Il arrive que l'on veuille s'en échapper, car on a l'intuition que de l'accepter totalement équivaudrait à se trouver confronté, presque irrésistiblement, à la responsabilité de vivre en pleine conscience.

Voici ce que me rétorquent le plus souvent mes patients : « *Si j'accepte le fait que j'aime ce que je suis, il va falloir que je change de comportement !* » ou bien « *Si j'accepte le fait que j'aime ce que je suis, je vais devenir trop lucide !* »

Mais si vous n'arrivez pas à vivre en pleine conscience (ce qui est l'un des points les plus importants de la psychologie humaine), les aspects les plus primitifs et les plus profonds de votre être finissent par se retourner contre vous et par creuser des failles dans votre estime de vous-même. En ne respectant pas notre intégrité, indispensable à une saine estime de soi, c'est ce « moi » profond que nous offensons.

Si je n'ai pas la loyauté de me tenir droit aux côtés d'un ami, cet ami se sent trahi par moi. De la même façon, si je n'ai pas la loyauté de me regarder en face (c'est-à-dire le courage de savoir que je m'apprécie et que j'en porte l'entière responsabilité), alors, moi aussi, je me sens trahi, même si je suis incapable d'expliquer ce que je ressens ou d'exprimer ce que je vis.

Si vous réfléchissez de nouveau au contenu de ce chapitre et aux exercices que vous avez faits, vous êtes probablement surpris de constater qu'il y a certains domaines où vous vous acceptez mieux que dans d'autres. Peut-être acceptez-vous certains de vos traits physiques, certaines pensées, émotions ou actions, mais en désavouez d'autres.

➡ Faites la liste des six points qui vous sont les plus difficiles à accepter totalement en vous-même. Cela exige beaucoup d'honnêteté de votre part. N'oubliez pas qu'accepter ne veut pas dire aimer. Ensuite, sur votre carnet, écrivez : « **Ce qui est dur dans le fait d'accepter, c'est...**, puis notez entre six et dix terminaisons. Faites de même avec la phrase : « **Si je devais m'accepter complètement...**, puis « **S'il s'avère que la vérité est la vérité, que je l'accepte ou non...**, et enfin « **Je suis en train de prendre conscience que...**

Peut-être vous rendez-vous compte maintenant que l'acceptation de soi est un acte purement héroïque !

Qu'est-ce que cela entraînerait pour vous, **concrètement,** si vous vous engagiez, pour les sept jours à venir, à vivre chaque jour de nouveaux exemples de l'acceptation de soi ?

V

SE LIBÉRER DU SENTIMENT DE CULPABILITÉ

Que cache ce sentiment ?

Notre but est d'avoir une image de nous-mêmes positive et forte, et d'être capables de la préserver, même si nous ne sommes pas experts dans tous les domaines et en dépit de l'approbation ou de la désapprobation des autres.

En vous orientant vers ce but, la façon dont vous jugez votre comportement (les critères sur lesquels vous vous basez pour le faire et le contexte dans lequel vous agissez) a une importance vitale, surtout lorsque vous êtes enclin à vous condamner vous-même. La culpabilité nuit de manière évidente à l'estime de soi.

• Quand vous jugez votre comportement, le faites-vous selon **vos propres critères** ou selon ceux des autres ?

• Cherchez-vous à comprendre pourquoi vous avez agi de telle ou telle façon ? Considérez-vous **les circonstances, le contexte et les moyens** dont vous disposiez au moment de l'acte en question ?

• Jugez-vous votre comportement comme vous le feriez de celui de **quelqu'un d'autre ?**

• Quand vous analysez votre comportement, cherchez-vous à cerner les circonstances particulières qui l'ont suscité ou bien vous dites-vous une fois pour toutes que vous êtes « *nul* », alors que vous êtes peut-être ignorant dans certains domaines mais avez des connaissances certaines dans d'autres ? Ou bien encore, vous prétendez-vous « *lâche* » ou « *faible* » sous prétexte que vous manquez de courage ou de force dans certains domaines, mais pas dans d'autres ?

• Si vous regrettez certains de vos actes, essayez-vous d'en **tirer les leçons** qui conviennent afin de ne pas reproduire à l'avenir les mêmes erreurs de comportement ? Ou vous contentez-vous de déplorer votre passé mais continuez à agir d'une façon que vous savez inappropriée ?

La réponse à toutes ces questions a de profondes implications dans l'estime de soi.

Voici des circonstances dans lesquelles nous éprouvons un sentiment de culpabilité :
— Quand nous considérons une chose que nous avons faite (ou aurions dû faire) et sommes **déçus** par nous-mêmes.
— Quand nous nous sentons obligés de trouver des **justifications** à nos actes.
— Quand nous nous sentons **sur la défensive** dès que quelqu'un fait allusion à notre comportement.
— Quand nous avons **beaucoup de mal à analyser** notre comportement, ou même simplement à nous en souvenir.

→ Pensez à une des choses que vous avez faites, ou auriez dû faire, et que vous vous reprochez, quelque chose d'important qui a eu un impact sur votre estime personnelle.

Ensuite, demandez-vous sur quels critères vous vous jugez, les vôtres ou ceux de quelqu'un d'autre. Si ces critères ne sont pas réellement les vôtres, demandez-vous alors quel est votre point de vue à vous sur la question.

Si vous êtes une personne capable de réflexion, qu'en toute honnêteté avec vous-même, et en pleine conscience, vous ne voyez rien de mal à votre façon d'agir, vous pouvez certainement trouver le courage de ne plus vous condamner. Ou du moins pouvez-vous commencer à envisager votre comportement sous un autre angle.

« *Je me suis toujours reprochée de ne pas vouloir que ma mère vive avec moi*, m'a dit Lucy lors d'une des dernières séances de sa thérapie, *je veux dire avec moi, mon mari et nos enfants. J'ai été élevée dans l'idée que le devoir envers ses parents passait avant tout. Et que l'égoïsme était un péché.*

Mais une des choses que j'ai pu tirer de ma thérapie, c'est que je dois être attentive à ce que je veux réellement plutôt qu'à ce que je me dis qu'il faut penser. En vérité, les idées qui m'ont été inculquées n'ont aucun sens pour moi dans la mesure où ma mère n'a jamais caché qu'elle ne m'aimait pas particulièrement, et je dois dire que moi non plus.

Nous ne nous sommes jamais bien entendues. Toute sa vie n'a été que tristesse et malheur. Elle n'arrêtait pas de me dire que si j'étais trop heureuse, c'est que quelque chose n'allait pas en moi. Je me disais que si je la laissais venir vivre avec nous, ce serait l'enfer pour moi et ma famille. C'est pourquoi j'ai refusé. Depuis, mes frères et sœurs ne me parlent plus. Je vois la vie différemment qu'eux. Et c'est ma vie, pas la leur. J'agis donc en fonction de ma logique et j'en accepte les conséquences. »

Je ne prétends pas que toutes les valeurs sont subjectives ni que la morale se limite à ce que chaque individu estime être moral ou pas. Dans mon précédent livre, *Honoring the Self*, j'expose ma conception d'une éthique rationnelle et objective qui serve les intérêts propres de chacun. Mais les gens se sentent souvent intimidés par les valeurs des autres, au détriment de leurs besoins, de leurs conceptions propres et de leur estime d'eux-mêmes.

Je n'aborde pas ici le problème des psychopathes ou des gens qui ne réagissent pas normalement au sentiment de culpabilité. Si c'était le cas, je devrais alors aborder de nombreuses questions dont je ne vais pas parler ici.

Parmi les sentiments de culpabilité que nous rencontrons en psychothérapie, beaucoup sont issus de **la désapprobation ou** de **la condamnation par des personnes importantes** telles que les parents ou le conjoint. Souvent, quand quelqu'un déclare qu'il se sent coupable à cause de ceci ou de cela, ce qu'il veut dire en fait, sans s'en rendre compte, c'est qu'il a peur d'être critiqué, répudié, ou condamné par son père, sa mère, ou toute autre personne importante, s'ils apprenaient ce qu'il a fait.

Il arrive souvent que le patient ne considère pas son acte comme étant quelque chose de mal, et il ne se sent, alors, pas foncièrement coupable. La solution, dans ce cas, est de **ne prêter attention qu'à sa voix intérieure** et de respecter son propre jugement en dépit de ce que croient les autres.

Je me souviens de certains patients qui affirmaient se sentir coupables lorsqu'ils pratiquaient la masturbation car leurs parents leur avaient toujours enseigné que c'était un péché. Parfois, les thérapeutes résolvent ce problème en se substituant à l'autorité des parents et en persuadant leur patient que la masturbation est une activité tout à fait acceptable. Mais cela implique que la culpabilité est issue d'une idée erronée de la moralité de la masturbation. Pour ma part, je crois qu'il s'agit d'une fausse raison.

Le fond du problème, c'est la dépendance et la peur de l'affirmation de soi. Plus exactement, c'est la peur de remettre en question les valeurs des personnes importantes de son entourage. C'est pourquoi j'essaie d'abord de changer la définition du problème de la manière suivante : « *Je ne pense pas que la masturbation soit quelque chose de mal, mais j'ai peur que mes parents me désapprouvent.* » En cernant ainsi le problème, nous sortons du cadre de la culpabilité et du reproche de soi.

Nous donnons une définition plus précise et plus pratique au problème. L'enjeu en est donc tout autre : « *Ai-je la volonté profonde de défendre mes propres convictions et d'agir selon elles ?* » Une telle volonté est précisément à la base du respect de soi. Accepter cet enjeu, c'est faire grandir son estime de soi.

Il arrive parfois que ces déclarations de culpabilité ne servent qu'à dissimuler un ressentiment inavoué. « *Je n'ai pas réussi à vivre selon les critères ou les attentes d'Untel. J'ai peur d'avouer que je suis très intimidé par ces critères ou ces attentes. J'ai peur de réaliser ma colère à l'idée de ce que l'on attend de moi. Je préfère donc affirmer, aux autres et à moi-même, que je me sens coupable de n'avoir pas su faire ce qu'il fallait, et je n'ai ainsi pas à craindre de communiquer mon ressentiment ni de mettre en danger ma relation avec les autres.* »

➡ Si vous vous reconnaissez dans cette description, la solution à votre sentiment de culpabilité est d'être honnête envers vous-même et envers les autres en ce qui concerne votre ressentiment. D'abord envers vous-même, naturellement. Reconnaissez votre colère. Admettez que votre ressentiment n'est pas lié à des critères et à des attentes qui ne sont pas réellement les vôtres. Voyez comme votre culpabilité commence à disparaître, même si vous devez encore lutter pour affirmer votre autonomie.

« **Si je ne me sentais pas coupable…**, a dit Hervé lors d'une séance de phrases à compléter, visant à explorer son problème de culpabilité, *je me sentirais… troublé. Si je ne me sentais pas coupable, je demanderais à ma famille de quel droit elle veut que j'entretienne mon fainéant de frère… Je chercherais à savoir pourquoi je suis obligé de me coltiner les problèmes des autres… Je leur dirais que j'en ai assez d'assumer un irresponsable. En fait, au fond, je ne me sens pas coupable, je me sens fou de rage.* ».

Et ensuite : « **Si je voulais vraiment être honnête avec ma colère…** *j'arrêterais de dire que je me sens coupable… J'admettrais le fait que je suis très différent du reste de ma famille… Je me sentirais plus propre et plus libre.* »

« **Si ce que je ressens n'est pas vraiment de la culpabilité,** a dit Annick, une femme malheureuse en ménage, au cours de sa psychothérapie, *il me faudra affronter le ressentiment que j'éprouve envers mon mari exigeant que je ne vive que pour lui… Il me faudra admettre que je suis heureuse de retravailler… Je devrais clamer haut et fort à quel point j'en ai assez d'étouffer mon énergie pour que mon mari ne se sente pas menacé.* »

Là encore, on perçoit le besoin de changement dans la définition du problème. En réalité, ce sont le ressentiment et la peur de l'affirmation qu'il faut arriver à enrayer, pas la culpabilité. Le soi-disant sentiment de culpabilité n'est qu'**un moyen de se protéger** contre des problèmes plus profonds.

En devenant plus honnêtes envers nous-même, ce besoin de pseudo-culpabilité cesse de nous être nécessaire. Et vous vous sentez alors plus libre de considérer les valeurs que vous souhaitez remettre en question et dont vous voulez vous débarrasser.

Ce travail est loin d'être facile. S'il l'était, les gens n'auraient pas à se dissimuler derrière leur pseudo-sentiment de culpabilité. Mais si vous voulez faire l'effort nécessaire, si vous maintenez votre courage quant à la recherche de votre indépendance (et vous le pouvez), les conséquences bénéfiques sur votre confiance en vous et sur le respect de vous-même seront immédiates.

Exercice : déterminer ses propres critères

Mais supposons que vos critères de jugement soient effectivement les vôtres et que, dans certains domaines, vous les ayez trahis. Vous avez ainsi saboté votre intégrité.

Quand nous sortons de l'enfance et développons notre sens des valeurs et nos propres critères, la défense de notre intégrité personnelle est de la plus haute importance en ce qui concerne le jugement que nous portons sur nous-mêmes.

L'intégrité implique l'intégration de nos convictions, de nos critères, de nos croyances et de nos comportements. Quand notre comportement est conforme à nos valeurs profondes, nous nous sentons intègres.

➡ Voici un exercice qui va vous faciliter l'exploration de ce problème. Ecrivez les débuts de phrase suivants sur votre carnet et notez chaque fois entre six et dix terminaisons.

« Là où je me sens le plus intègre, c'est quand…

« Je sens parfois faillir mon intégrité quand je…

« Je m'aime davantage quand je…

« Je m'aime moins quand je…

« Quand je n'agis pas selon mes critères, je…

« Il me serait plus facile de vivre selon mes convictions si…

N'oubliez pas : si vous vous sentez bloqué, inventez ! Ne vous dites surtout pas que vous en êtes incapable. C'est faux. L'essentiel est de vouloir. Après avoir fait cet exercice, réfléchissez quelques instants sur vos terminaisons. **Quel sentiment éprouvez-vous ?** De quoi prenez-vous conscience ? Qu'avez-vous appris ? Il serait intéressant, à ce stade, de prendre quelques notes sur ce que vous avez découvert à votre sujet.

Comprendre son comportement

Lorsque nos actes sont en contradiction avec ce que nous pensons qu'il convient de faire, nous avons tendance à perdre la face à nos propres yeux. Nous nous respectons moins. Mais si nous nous contentons de nous punir, de nous fustiger puis de plus y penser, nous détériorons l'estime que nous nous portons et diminuons nos chances de nous sentir intègres plus tard.

Une mauvaise image de soi conduit à de mauvais comportements. **En clamant notre médiocrité, nous ne pouvons nous améliorer.** Nos actes sont le reflet de qui nous sommes ou de ce que nous pensons être. C'est pourquoi nous devons apprendre à réagir à nos défauts d'une façon qui ne nuise pas à notre estime de nous-mêmes et à nos comportements futurs.

Au lieu de sombrer dans la condamnation systématique de soi, habituons-nous plutôt à nous poser ce genre de questions : « *Dans quelles circonstances est-ce que j'ai agi ? Pourquoi mes décisions ou mes choix m'ont-ils semblé souhaitables ou nécessaires dans un tel contexte ? Dans quel but ai-je agi ainsi ? De quelle façon ai-je essayé de me protéger ?* »

Nous ne pouvons comprendre les actes de quelqu'un sans comprendre leur sens profond pour la personne en question. Il nous faut **comprendre le contexte** dans lequel ces actes ont eu lieu et ce qui se cachait derrière ce comportement.

Par exemple : supposons que je sois une femme qui soit restée trop longtemps avec un mari alcoolique abusif, représentant un danger physique à la fois pour moi et pour mes enfants. Je sais que j'aurais dû le quitter mais en même temps, j'ai eu peur de le faire. La vie m'effraie, je vois bien que ma situation est précaire et je vois également que mes choix et mes possibilités sont restreints.

Étant donné ce sentiment d'insécurité, l'image que j'ai de moi-même est celle de quelqu'un qui essaie de survivre. Est-ce un crime ? Je peux souhaiter avoir davantage de courage et de confiance en moi et ne pas vivre à ce point dans l'anxiété, mais je ne peux me blâmer d'essayer de vivre. Je peux seulement apprendre qu'il existe des modes d'existence plus agréables, à condition de changer de point de vue sur moi-même et sur le monde.

C'est là le point important : si nous pouvons analyser notre situation personnelle avec sollicitude et un désir réel de comprendre les choses (sans essayer de nier nos erreurs de conduite) ; si nous arrivons à devenir véritablement amis avec nous-mêmes, cherchant à découvrir l'origine de notre comportement et ses raisons, alors nous pouvons nous guérir ; nous pouvons éprouver des remords et des regrets, mais ne pas nous condamner pour autant. La conséquence la plus vraisemblable est la **détermination de mieux faire** à l'avenir.

En fin de compte, c'est là le mode de pensée que nous encourageons en thérapie. Une femme avoue qu'elle a un tempérament infidèle ; un homme admet son penchant pour le viol ; un employé reconnaît avoir détourné des fonds de son entreprise ; un adolescent fait du mal aux plus faibles que lui ; un scientifique avoue avoir maquillé les résultats de ses expériences ; un père ou une mère reconnaît avoir cruellement négligé les besoins de son enfant ; un professeur admet avoir tiré profit du travail d'un de ses étudiants ; une secrétaire reconnaît avoir prétendu être malade pour pouvoir rencontrer son amant ; un journaliste avoue être à l'origine d'une rumeur perverse. Certains de ces actes sont anodins mais d'autres ont des conséquences désastreuses. Lorsque nos patients en parlent au cours de leur thérapie et font preuve d'un sentiment de culpabilité, que faisons-nous pour les soulager ?

Généralement, nous leur disons quelque chose de ce genre : « *Je vois que vous vous sentez malheureux et regrettez ce que vous avez fait. Essayons ensemble de savoir pourquoi vous l'avez fait. Quelles pensées ou émotions ont motivé ce comportement ? Pouvons-nous creuser cette question ?* » (Nous ne les accablons pas de reproches ni ne les réconfortons en disant qu'ils ont bien fait et qu'il n'y a pas à se sentir mal à cause de cela.)

Vous devez vous souvenir du fait que par vos actes, d'une certaine manière, vous essayez toujours de satisfaire vos besoins (comme c'est le cas de tous les organismes vivants). Nos actes sont toujours en relation avec nos efforts de survie, ou encore servent à nous protéger, à maintenir un certain équilibre, à éviter la peur ou la souffrance, à nous enrichir ou à évoluer. Même si nous prenons la mauvaise route, nous essayons d'une certaine façon de nous préserver, même en cas de suicide, si c'est pour échapper à une souffrance intolérable.

Se pardonner

Cependant, si on cherche les racines d'un comportement indésirable, rien ne peut prouver qu'il était inévitable. Ni la compréhension ni la compassion n'amènent à se décharger de sa responsabilité.

En fait, quand une personne a commis une mauvaise action et qu'elle s'en sent coupable, j'oriente son attention sur la recherche d'une façon de se racheter qui lui permettrait de se pardonner. Arrêtons-nous sur ce point car il est important.

Le pardon de soi peut exiger davantage que la compréhension et la compassion mentionnées plus haut. Si l'on accepte le fait qu'il y a parfois des circonstances spéciales qui permettent de considérer les choses d'une façon particulière, on s'aperçoit qu'il y a des étapes spécifiques pour se libérer de son sentiment de culpabilité.

• La première est d'**intégrer** le fait (plutôt que de le nier ou de l'ignorer) que nous avons bel et bien commis l'acte en question.

• La deuxième, si quelqu'un a souffert de notre comportement, est de **faire savoir** à cette personne (ou à ces personnes si elles sont plusieurs) le mal que nous avons fait et leur faire entendre que nous connaissons les conséquences de nos actes, en admettant que cela soit possible.

• La troisième est de faire l'impossible pour nous rattraper, nous amender ou **réduire le mal** que nous avons fait (rendre l'argent volé, avouer un mensonge, etc.).

• Enfin, nous devons prendre le **ferme engagement d'agir différemment** à l'avenir car si nous ne changeons pas de comportement, nous continuons à ne pas croire en nous-mêmes.

• Bien sûr, il y a également l'étape dont j'ai parlé au départ : la volonté de **creuser les raisons** qui nous ont poussés à avoir le comportement que nous déplorons. Si nous escamotons cette étape, nous n'arriverons pas à nous débarrasser de notre sentiment de culpabilité et nous reproduirons ce comportement.

Naturellement, certains crimes sont tellement odieux que le pardon de soi dont je parle ici n'est ni réaliste, ni même possible. Par exemple, les tortures dans les camps de concentration ou les actes terroristes dans la foule. Mais les fous concernés par ces crimes ne cherchent pas à faire de psychothérapie et ils ne s'attardent pas non plus à lire des livres sur l'estime de soi.

Mais en dehors de ces extrêmes, il est absolument évident que si nous pouvons apprendre à nous comprendre et à nous pardonner, notre comportement va se transformer. En revanche, si nous ne cessons de nous condamner, notre comportement et l'estime que nous nous portons ne vont cesser d'empirer.

Exercice : juger avec bienveillance

Voici un exercice qui va vous aider à mettre ces principes en application.

➡ Écrivez clairement sur votre carnet, un acte que vous vous reprochez. Expliquez en toutes lettres pourquoi vous estimez que c'est une mauvaise action. Ensuite, fermez les yeux et imaginez que ce n'est pas vous qui avez commis cet acte, mais un ami que vous aimez. Imaginez que vous l'interrogiez sur ce qu'il a fait, l'aidiez à exprimer les circonstances de son geste et ce qu'il a éprouvé lorsqu'il a eu ce comportement. Ensuite, appliquez la même méthode sur vous-même. Que ressentez-vous ? De quoi prenez-vous conscience ? Notez tout ce que vous éprouvez sur votre carnet.

A présent, pensez à ceci : si vous trouviez nécessaire et juste d'avoir cette attitude bienveillante avec quelqu'un que vous aimez, ne souhaiteriez-vous pas l'adopter pour vous-même ?

Naturellement, dans le cas contraire, il y a de fortes chances pour que vous ne puissiez adopter cette attitude avec qui que ce soit. Quand on a un jugement particulièrement sévère sur son propre comportement, on juge généralement les autres avec la même sévérité. La réciproque est vraie également : le pardon de soi, pourvu que ce soit un acte responsable et non un excès d'indulgence, entraîne généralement la bienveillance envers les autres. La bienveillance, envers soi-même et envers les autres, est à la fois un trait qui révèle l'estime de soi et qui la fortifie.

Jerry a divorcé

Jerry est venu me consulter à cause de plusieurs problèmes personnels, dont un profond sentiment de culpabilité venant de ce qu'il avait abandonné sa femme après quelques années de mariage et son petit garçon d'à peine deux ans. C'était quinze ans auparavant et, bien que depuis il ait divorcé et se soit remarié, il se sentait profondément troublé par le mal qu'il avait fait, surtout à son fils.

« *Comment pourrais-je me pardonner ?* » m'a-t-il demandé. Je l'ai aidé à réfléchir comme je l'ai indiqué plus haut, c'est-à-dire en imaginant qu'il ait à aider un ami dans la même situation.

Il s'est petit à petit retrouvé confronté à la terreur qu'il avait ressentie des années auparavant, lorsqu'il s'était senti écrasé par le poids de sa responsabilité, avait réalisé qu'il n'était pas amoureux de sa femme mais avait simplement cédé devant son insistance pour se marier. Il voulait qu'on le prenne pour un « *bon garçon* ».

Il est certain qu'à l'époque, il aurait pu agir de façon plus honorable et plus responsable, mais il réalisait peu à peu qu'au moins, il n'avait agi ni par crainte ni par caprice, et que son sens des valeurs à l'époque n'était pas le même qu'au moment de sa thérapie. Et finalement, il décida de retrouver son fils et son ancienne femme, pour leur dire qu'il avait conscience de ses erreurs et du mal qu'il leur avait fait, les laisser exprimer leur colère envers lui et voir ce qu'il pourrait faire aujourd'hui pour les aider.

Il a réussi à se pardonner et a reconnu leur droit de ne pas lui pardonner si tel était leur désir. Il pouvait

maintenant considérer leur chagrin avec clarté et compassion, chose qu'il lui était impossible de faire tant
qu'il se noyait sous les reproches. De ce fait, il pouvait
à présent essayer de se racheter. Son ex-femme ne
s'était jamais remariée et il ne réussit pas à percer le
mur de son amertume. Mais avec son fils, il parvint
finalement à établir une relation profondément satisfaisante pour eux deux, après une longue période de
suspicion, de larmes et de colère de la part de son fils.

« *Le sentiment de culpabilité et la compassion ne
vont pas ensemble*, m'a dit Jerry. *Tant que je me suis
considéré comme un pourri, une part de moi-même
était sur la défensive et auto-protectrice. Ce n'est qu'en
laissant tomber ce jugement négatif sur moi-même que
j'ai commencé à voir les choses de façon réaliste. A présent, tout ce que je peux faire pour eux, je suis heureux
de le faire. Mais ce que je ne peux pas faire, je l'accepte
avec sérénité.* »

Ne pas se complaire dans le malheur

Une des pires erreurs que nous puissions commettre,
c'est de se dire que le sentiment de culpabilité est forcément une sorte de qualité. Il n'y a pas à être fier d'être
intransigeant avec soi-même. Cela nous rend passifs et
impuissants. Cela n'aide pas à changer, au contraire, ça
paralyse. La souffrance est l'une des activités humaines
les plus faciles. Etre heureux, l'une des plus difficiles.
Pour être heureux, il faut se libérer du sentiment de culpabilité, et non s'y soumettre.

Voyons à présent une autre façon de détériorer son
estime de soi par un comportement inadéquat. Parfois,
nous nuisons à notre estime de nous-mêmes en avan-
çant des généralités oiseuses sur notre « *nature profonde* », à cause de notre comportement dans certaines
situations.

Par exemple, Martin m'a dit un jour : « *Je suis un inadapté. Je ne sais pas parler aux gens. Je ne sais pas quoi leur dire.* » Quand je lui ai demandé s'il ne savait jamais quoi dire, il m'a répondu : « *Eh bien, si je suis en compagnie de gens qui s'intéressent à l'art ou la littérature, j'ai plein de choses à dire.* » Martin ne s'intéressait pas au sport et il se sentait décalé quand ses collègues de bureau parlaient football.

« *Aimez-vous le football ?* » lui ai-je demandé. « *Pas le moins du monde* », a-t-il répondu. « *Mais pensez-vous que vous devriez vous intéresser au football ?* », ai-je poursuivi. Il a réfléchi un moment, s'est mis à rire et a dit : « *Non, bien sûr que non* ».

« *En vous qualifiant d'inadapté, vous insinuez que vous n'avez rien à dire sur un sujet qui ne présente aucun intérêt pour vous et sur lequel vous ne désirez rien apprendre. Pour moi, ça n'a rien d'une déficience innée. Cela signifie simplement que vous seriez plus heureux si vous rencontriez des gens qui partagent votre intérêt pour l'art et la littérature.*

Quant à vos collègues de travail, si vous vous autorisiez à avoir des centres d'intérêts différents des leurs, et les autorisiez à en avoir de différents des vôtres, vous pourriez sans doute vous sentir plus détendu face à eux et pourriez même découvrir que vous faites partie de la même espèce. »

La suite de la thérapie de Martin a révélé que ses relations avec ses collègues, au niveau de la communication, offraient de larges possibilités même s'ils avaient des centres d'intérêts différents.

« *Je suis un lâche* », m'a dit Chester. Il semblait avoir peur de parler en public. « *Quelle est la différence* », lui ai-je demandé, « *entre dire ''je suis un lâche'' et dire ''j'ai peur à l'idée de parler en public'' ?* ». Chester a alors répondu : « *Votre façon de dire les choses permet de sérier les problèmes.* » Je lui ai fait observer que tous les gens que je connaissais, étant confiants en eux-mêmes dans certains domaines, l'étaient beaucoup

moins dans d'autres ; et que s'il voulait avoir confiance
en lui pour parler en public, je pensais qu'il pourrait le
faire facilement ; mais qu'enfin, limiter le problème à
une histoire de « *lâcheté* » ne réussirait qu'à dégrader
son estime de lui-même.

« *Je suis terriblement paresseux* », m'a dit Ed qui tra-
vaillait pour une entreprise de maintenance et se faisait
souvent rappeler à l'ordre par son patron pour sa distraction pendant le travail. Mais j'appris qu'après ses
heures de bureau, il passait une bonne partie de la nuit
à écrire un roman policier, ce qui était sa passion.

Au cours de sa vie, il avait tout fait, sauf ce qu'il souhaitait faire par-dessus tout, et par conséquent, il était
en permanence en état de frustration et d'insatisfaction. Mais il n'était pas « *paresseux* ». La façon dont il
se qualifiait n'allait aucunement dans le sens d'une
solution, mais au contraire nuisait à son image de
lui-même.

« **Disons que vous trouvez très difficile de rester parfaitement attentif lorsque vous faites un travail qui
vous ennuie**, ai-je suggéré, *au lieu de dire que vous êtes
paresseux. Il est vrai que si vous ne pouvez pas gagner
votre vie en tant qu'écrivain, c'est un problème. Mais
ça n'a rien à voir avec le problème que vous vous
attribuez.*

*Vous n'êtes pas paresseux quand vous écrivez
jusqu'à trois heures du matin et vous levez tôt ensuite
pour aller travailler. Voilà la véritable difficulté. Pourquoi la rendre encore plus difficile en vous fustigeant
vous-même ?* »

Exercices : changer de point de vue

➡ A présent, réfléchissons sur la façon dont vous
pourriez mettre ce principe en application. Pensez à un
trait négatif que vous vous attribuez. Puis pensez à

trois situations dans la vie où ce défaut n'apparaît pas. Ensuite, pensez à une situation dans laquelle vous présentez le trait inverse de celui que vous vous reprochez (comme pour Ed qui, loin d'être paresseux, passait le plus clair de son temps à écrire). Faites de même avec chaque point négatif que vous vous attribuez, et notez vos impressions par écrit. Cet exercice permet de **stopper ces assauts contre votre image de vous-même**.

L'étape suivante, pour laquelle le carnet est aussi très utile, est de vous projeter dans les situations où votre comportement vous déplaît, de penser à trois façons différentes de réagir, et de vous imaginer en train de les mettre en œuvre. Déterminez celle que vous préférez et qui vous convient le mieux. Puis observez-vous en train d'agir de cette façon. Notez le plaisir que vous ressentez. Enfin, mettez réellement votre nouveau comportement en pratique. Cette méthode a très souvent fait ses preuves, elle est vraiment efficace. Et si vous persévérez, vous pourrez vite constater à quel point vous sous-estimez vos capacités de changement (comme presque tout le monde a tendance à le faire).

Une des caractéristiques propres aux gens qui, en toute responsabilité, n'éprouvent aucun sentiment de culpabilité, n'est pas qu'ils ne regrettent jamais ce qu'ils font, mais qu'ils cherchent à modifier leur comportement et qu'ils essayent de tirer les leçons de leurs erreurs. Ils s'attardent sur elles et y pensent, afin de les éviter à l'avenir.

Souvent, dans un petit coin de notre tête, nous savons la leçon que nous devons tirer de nos erreurs mais nous n'en sommes pas toujours pleinement conscients. Pour y arriver, compléter des phrases peut s'avérer extrêmement utile car cette technique permet d'avoir accès à ce que nous avons au fond de nous et qui n'est pas forcément conscient.

➡ En pensant à un acte (ou au contraire à un « acte manqué ») que vous vous reprochez, écrivez le début de phrase suivant : « **Si j'acceptais de regarder vraiment en face ce que j'ai fait (ou n'ai pas fait)…**, et notez entre six et dix terminaisons, sans qu'interviennent l'autocritique et l'autocensure, mais en laissant ces terminaisons s'imposer d'elles-mêmes (même si vous avez l'impression qu'elles n'ont aucun sens de prime abord). Puis faites de même avec les débuts de phrases suivants :

« **Quand j'ai agi de cette façon, je me suis dit…**

« **Une des leçons que je pourrais tirer de cette expérience, c'est…**

« **Si je voulais regarder en face ce que j'ai fait…**

« **Un des moyens d'éviter cette erreur à l'avenir, c'est…**

« **Si je devais rester aussi conscient que je le suis maintenant…**

« **Je m'aimerais davantage si…**

« **Si j'agis à l'encontre de ce que je comprends parfaitement bien…**

« **Je suis en train de prendre conscience du fait que…**

« **Plus je comprends ce que j'écris, plus…**

« **En imaginant ce que j'éprouverais si j'agissais à l'avenir d'une façon plus appropriée…**

« **Plus ce problème devient clair en moi…**

Pour que cette méthode soit efficace, il est indispensable que vous jouiez **vraiment** le jeu. Peut-être certains lecteurs montreront-ils quelques réticences car, dans leur subconscient, ils savent que cette méthode a le pouvoir de faire évoluer les choses et d'activer le changement, et s'ils sont attachés à leurs erreurs et à leur culpabilité, le changement n'est pas leur priorité, même s'ils prétendent le contraire.

Pourquoi est-on attaché à la culpabilité ? Eh bien, tout d'abord, la culpabilité nous permet de nous cantonner dans notre passivité, sans avoir besoin de générer de nouveaux comportements : « *Je suis coupable,*

décevant, je l'ai toujours été, c'est la vie. » A traduire
par : « *N'attendez rien de moi.* »

Pour certains, ne pas être heureux est une chose familière : pas agréable, mais familière. Qui sait à quoi la
vie nous exposerait si nous n'avions pas notre dépression
et notre culpabilité pour nous protéger ? Quels enjeux
serions-nous obligés d'affronter ? Le malheur peut
procurer une sorte de confort douillet, tandis que le
bonheur, à sa façon, est plutôt exigeant. Il demande
plus d'énergie, de discipline, d'implication et d'intégrité.

Il y a des gens qui, étant jeunes, se sentaient encoura-
gées à l'idée d'être mauvais ou inappropriés, à cause de
parents qui ne savaient ni les aimer, ni les enrichir, et
qui, même à l'âge adulte, se sentaient obligés « d'améliorer » leurs parents, protégeant ainsi la relation
parents enfants, au prix de leur estime d'eux-mêmes.
Cet état de choses peut même se poursuivre après la
mort des parents car c'est un processus interne.

C'est pourquoi cela demande du courage d'essayer
de se sortir de son sentiment de culpabilité. Cela exige
de l'honnêteté, de la persévérance et de s'engager à
vivre en pleine conscience, de façon indépendante,
authentique, responsable et active. Mais c'est possible.

Les faux défauts

Ce challenge ne nous confronte pas seulement à nos
défauts, réels ou imaginaires, mais également à nos
qualités, lorsque nous avons envie de leur résister, ou
de nous faire des reproches à leur sujet.

Quand nous condamnons nos pensées, nos émotions
ou nos actes, nous le faisons, implicitement, pour protéger notre estime de nous-mêmes, même si l'effet produit est le contraire de ce que nous voudrions. Dans la
mesure où nous essayons de nous protéger, notre politique peut sembler plausible, au moins en apparence.

Nous condamnons, en fait, ce que nous considérons comme des défauts ou des imperfections. Mais pourquoi alors répudier aussi les points positifs en nous-mêmes ?

Nous avons déjà rencontré un exemple de cela, dans le chapitre sur l'acceptation de soi, lorsque nous avons vu que certaines personnes pouvaient refuser de s'apprécier ou d'être fières d'elles-mêmes, par crainte de la responsabilité qu'entraîne ce type de sentiment, de s'aliéner socialement, ou par peur que les autres ne les désapprouvent. Mais voici d'autres exemples. Certains lecteurs auront du mal à croire que de tels sentiments puissent exister. D'autres, au contraire, s'y reconnaîtront.

« Je me sens coupable d'avoir un physique agréable, je veux dire d'être mieux physiquement que la plupart des gens. »
Sous-entendu : mes attraits physiques sont une insulte, ainsi qu'une injustice, pour tous ceux qui en sont dépourvus.
Vraisemblablement : j'ai peur que les autres m'envient ou bien soient jaloux de moi.

« Je me sens coupable d'être intelligent, je veux dire, plus intelligent que la plupart des gens. »
Sous-entendu : je suis né avec un cerveau bien structuré, « aux dépens » de tous ceux pour qui ce n'est pas le cas. De plus, comme chacun choisit toujours d'exercer l'intelligence dont il a hérité à la naissance au mieux de ses possibilités, je n'ai aucun mérite.
Vraisemblablement : j'ai peur de l'animosité de ceux qui m'en veulent pour mon intelligence.

« Je me sens coupable car je réussis dans la vie, contrairement à beaucoup de gens. »
Sous-entendu : non seulement je n'ai aucun mérite pour ce que j'ai réussi à faire, mais en plus, je considère mes réussites comme une injustice pour tous ceux qui, pour quelque raison que ce soit, n'ont pas aussi bien

réussi. De plus, je me sens en dette morale par rapport à tous ceux qui ont moins accompli dans leur vie que moi.

Vraisemblablement : si je ne montre pas que je suis fier de ce que j'ai accompli, si je dissimule ma fierté non seulement aux autres mais aussi à moi-même, alors peut-être les autres me pardonneront-ils et m'aimeront-ils.

« *Je me sens coupable parce que je suis humain et que je suis né dans le péché.* »

Sous-entendu : il est inutile de parler de culpabilité dans un contexte où l'innocence n'existe pas. De plus, je dois accepter un concept qui fait violence à la raison et à la moralité car il est reconnu par les autorités.

Vraisemblablement : ces autorités exercent le monopole sur la moralité et les jugements moraux. Qui suis-je pour vouloir imposer mes jugements sur les leurs ?

Deux thèmes semblent se détacher chaque fois que nous sommes en présence d'auto-défense et de culpabilité : la **peur de prendre ses responsabilités** et la **peur de l'isolement**. Naturellement, les deux sont liés. Mais quel dommage de vouloir dépendre des autres pour mieux se sentir parmi eux…

Avoir le sens du groupe, bien sûr, n'a rien de déraisonnable, mais vouloir y accéder au détriment de l'estime de soi n'est qu'une façon de générer une nouvelle source d'isolement : l'isolement de soi-même. C'est l'une des sources de souffrance humaine les plus courantes.

Si vous vous sentez concerné par ce problème, si une part de vous-même se reconnaît en lui, alors, je vous demande d'être attentif à ce qui suit : imaginez que vous avez un enfant que vous aimez, il est beau, fort, en pleine santé, particulièrement intelligent et créatif, il réussit tout ce qu'il touche… Aimeriez-vous qu'il se sente coupable de ses atouts ? Voudriez-vous que cet enfant se sente coupable du simple fait qu'il est en vie ?

Je présente les choses de cette façon car, je le sais par expérience, beaucoup de gens sont dans la confusion totale lorsqu'ils pensent à eux-mêmes, mais dès qu'ils projettent leur propre psychologie sur un enfant imaginaire, ils deviennent tout de suite clairvoyants.

Peut-être devrais-je insister sur le fait qu'éprouver du plaisir en reconnaissant ce que l'on a de mieux n'a rien à voir avec l'arrogance, la vantardise ou la mégalomanie. Aucun rapport. Mais il ne faudrait pas mentir, que ce soit aux autres ou à soi-même, à propos de ce que nous sommes et de qui nous sommes. Nous ne devrions pas nous excuser pour ce que nous sommes, vouloir atténuer nos qualités ou essayer de le faire. Une saine estime de soi interdit ce genre de capitulation.

Exercice : le droit d'être fier

Il faut donc du courage pour avoir l'honnêteté d'admettre aussi bien nos qualités que nos défauts.
➡ Voici quelques débuts de phrases qui vont vous aider à y voir clair sur ce point :

« Si j'ai du mal à accepter mes qualités, c'est à cause de...

« Quand je me sens sur la défensive à propos de mes qualités, c'est parce que...

« Si j'ai peur d'admettre ma fierté de moi-même ou de ce que j'ai accompli, c'est parce que...

« Quand je rencontre l'envie ou la jalousie...

« Si je dissimule qui je suis derrière la peur de l'envie ou de la jalousie...

« Si je devais me considérer plein de défauts du simple fait que j'existe...

« Si je devais m'excuser pour mon apparence physique, ou **mon intelligence**, ou **mes biens**, ou **mes réussites** (soulignez le point qui vous concerne le plus directement et concentrez-vous dessus)...

« Si je voulais admettre les points dont je suis fier...

Si vous faites cet exercice sur votre carnet, trouvant au moins six terminaisons pour chacun de ces débuts de phrase, je suis à peu près certain que vous n'aurez pas besoin de plus amples explications de ma part quant aux avantages qu'il y a à accepter honnêtement vos atouts. La récompense est évidente et immédiate.

Alors, allez-vous cesser d'être une personne qui a une médiocre estime de soi et passe son temps à envier la réussite et le bonheur des autres ? C'est presque sûr. Allez-vous, de ce fait, reconsidérer certaines de vos relations ? Probablement. En effet, à mesure que vous apprenez à évaluer vos forces, vous allez avoir un nouveau type de relations avec les autres, bien plus enrichissant.

Dans ma carrière de psychothérapeute, j'ai pu vérifier cela très souvent. Vos relations avec les autres s'amélioreront aussi du fait qu'ils souhaiteront imiter votre courage, votre honnêteté et votre authenticité. Un de mes patients m'a fait remarquer un jour : « *Ma femme et moi avons décidé de ne plus sombrer dans l'humilité. Quel soulagement !* »

La confiance en soi et le respect de soi-même méritent bien les efforts à fournir pour les acquérir.

Il y a un dernier point à soulever. Notre perception de ce que nous sommes ne se forme pas en un instant. Elle a toute une histoire. Elle se développe au fil du temps. Si notre but est de nous affirmer et de trouver les comportements appropriés, afin de consolider notre estime de nous-mêmes, nous avons souvent besoin de nous pencher sur notre passé, sur notre moi profond, à un moment précis de notre histoire personnelle, de nous reconnecter avec notre âme d'enfant et notre âme d'adolescent, de l'intégrer et de la « pardonner ».

C'est ce point que nous allons aborder à présent.

VI

INTÉGRER SON ÂME
D'ENFANT

L'oblitération de soi

« *Quand j'étais petite, j'avais un besoin inimaginable que ma mère m'aime*, m'a confié une dentiste de 37 ans. *J'étais à l'affût du moindre signe d'affection ou de tendresse. C'est sans doute pour cela que je n'aime pas me souvenir de mon passé. Je n'aime pas cet aspect de moi-même. Mais était-ce réellement moi ? Je refuse de le croire. Je préfère penser que cette petite fille est morte il y a bien longtemps et que je suis maintenant quelqu'un d'autre.* »

Quand son mari l'a quittée, sous prétexte qu'elle semblait incapable de donner ou de recevoir de l'amour, elle s'est trouvée désorientée et complètement abattue. Elle prétendait ne pas comprendre ce qu'il voulait dire.

« *Je n'aime pas me souvenir de moi quand j'étais petit,*

avoue un programmeur de 46 ans. *J'étais terrorisé en permanence. Mon père rentrait saoul à la maison, frappant tout ce qui passait à sa portée. Ma mère ne nous protégeait jamais. Moi, je me cachais, cherchais des cachettes, trop effrayé la plupart du temps pour parler. C'était affligeant. Cet enfant était affligeant. Je ne me sens rien de commun avec lui.* »

Les enfants de cette famille ne comprenaient pas pourquoi leur père semblait incapable de jouer avec eux, semblait absent. Comme s'ils n'avaient pas de père.

« *Ma mère était extrêmement sarcastique*, dit une infirmière de 31 ans. *Sa langue était une arme mortelle. Quand j'étais petite, je ne pouvais pas le supporter et je pleurais tout le temps. Quand je me souviens de moi à l'âge de 3 ans, 4 ans ou 5 ans, je sens mes pieds se dérober sous moi.* »

Beaucoup de ses malades se plaignaient de ses gestes brusques et de ses remarques acerbes. Elle savait qu'on ne l'aimait pas mais faisait semblant de ne pas savoir pourquoi.

« *Quand j'avais 12 ans*, dit un homme de loi de 51 ans, *il y avait dans mon quartier une brute qui me terrorisait. Il m'a plusieurs fois cassé la figure et après, rien que de le voir, je me sentais réduit à néant. Je n'aime pas me souvenir de ça. Et je n'aime pas en parler non plus. En fait, je n'aime pas admettre que ce petit garçon apeuré était bien moi. Pourquoi ne pouvait-il pas mieux prendre la situation en main ? Je préfère oublier ce petit bâtard.* »

Bien qu'il ait été brillant dans le cadre de son travail, peu de ses clients l'aimaient. Ils le considéraient comme un être insensible et cruel. « *C'est une vraie brute* », disaient-ils souvent.

Il y a de nombreuses raisons qui expliquent pourquoi les gens ont souvent du mal à pardonner à l'enfant qu'ils étaient. Tout comme les patients dont je viens de parler, ils renient et désavouent l'enfant qu'ils ont été. Voici ce qu'ils disent généralement : « *Je ne peux me pardonner d'avoir tellement eu peur de ma mère, ou bien j'attendais désespérément l'approbation de mon père, ou encore je sentais qu'on ne pouvait pas m'aimer, j'étais avide d'affection et d'attention, je mélangeais tout, j'étais attiré sexuellement par ma mère, je me débrouillais toujours involontairement pour que mon père me maltraite, j'étais nul en gymnastique à l'école, mes professeurs me paralysaient, je passais mon temps à souffrir, à l'école, personne ne m'aimait, j'étais handicapé par ma timidité, j'étais trop émotif, j'avais peur de désobéir à mes parents, j'aurais fait n'importe quoi pour être aimé, j'étais avide de gentillesse, j'étais hargneux et hostile, j'étais jaloux de mon frère, j'avais l'impression que les autres comprenaient les choses bien mieux que moi, je ne savais pas comment réagir quand je me sentais ridicule, je n'osais pas affronter les autres, j'avais les vêtements les plus pauvres et les plus moches de toute l'école… »*

En effet, on peut se souvenir de l'enfant que nous étions comme d'une source de souffrance, de rage, de peur, d'embarras ou d'humiliation qu'il faut à tout prix réprimer, désavouer, répudier, oublier. Nous rejetons cet enfant tout comme, peut-être, les autres le faisaient à l'époque, et notre cruauté envers lui peut continuer jour après jour, indéfiniment, tout au long de notre vie, au fond de nous-mêmes où il existe toujours comme une personnalité sous-jacente, notre âme d'enfant.

Inconscients de ce que nous faisons, nous autres les adultes, nous déclarons trouver partout autour de nous des preuves de notre rejet par les autres, sans réaliser que les racines de notre expérience de rejet sont intérieures et non pas extérieures. Nous passons parfois notre vie à **nous rejeter nous-mêmes** et à nous plaindre de ce que les autres ne nous aiment pas.

En apprenant à pardonner à l'enfant que nous étions

pour tout ce qu'il (ou elle) ne savait ou ne pouvait faire, ou ne pouvait maîtriser, ou éprouver ; en comprenant et en acceptant que **cet enfant luttait du mieux qu'il pouvait** pour survivre, alors l'adulte que nous sommes aujourd'hui arrête d'avoir un rapport de force avec son âme d'enfant. Une partie de nous-mêmes n'est plus en guerre avec l'autre. Du coup, nos réactions d'adultes sont plus appropriées.

Dans le deuxième chapitre, j'ai déjà parlé du concept de l'âme d'enfant, en tant que représentation intérieure de l'enfant que nous étions, l'éventail de comportements, de sentiments, de valeurs et de perspectives qui étaient les nôtres autrefois, et qui resteront vivants en nous tant que nous vivrons, comme faisant partie de nous-mêmes. C'est un « **moi** » **sous-jacent**, un état d'esprit qui peut être plus ou moins dominant à un moment ou à un autre, et qui nous incite à agir parfois sans que nous nous en apercevions.

Nous pouvons (implicitement) faire référence à notre âme d'enfant, consciemment ou inconsciemment, avec bienveillance ou de façon hostile, gentiment ou durement. Je sais que les exercices contenus dans ce chapitre vont vous aider à y voir plus clair et, enfin, à **intégrer** votre âme d'enfant dans votre personnalité toute entière. Quand l'âme d'enfant est reléguée dans l'oubli et l'inconscient, ou bien qu'elle est désavouée ou répudiée, nous sommes fragmentés. Nous ne formons pas un tout cohérent et l'estime que nous nous portons est blessée.

Laissée à l'abandon, incomprise, rejetée ou non reconnue, l'âme d'enfant peut devenir une source d'ennuis qui empêche notre évolution et notre accession aux bonheurs de l'existence. Nous exprimons ce phénomène en adoptant parfois des comportements enfantins et nous sombrons dans la dépendance, le narcissisme, ou nous avons l'impression de vivre dans un monde qui appartient aux adultes.

Au contraire, une fois reconnue, acceptée, cernée

puis intégrée, l'âme d'enfant peut être une extraordinaire source de richesse pour notre vie, avec tout ce qu'elle représente de spontanéité, d'imagination et de sens du jeu.

Exercices : apprivoiser l'enfant qu'on était

➡ Avant de pouvoir faire un pacte avec votre âme d'enfant et l'intégrer, afin qu'elle soit en harmonie avec le reste de vous-mêmes, vous devez d'abord entrer en contact avec elle.

Pour aider mes patients à le faire, je fais parfois appel à leur imaginaire. Je leur demande de s'imaginer en train de se promener sur une petite route de campagne et, au loin, d'apercevoir un enfant assis sous un arbre, de s'approcher et de constater qu'il s'agit d'eux-mêmes, enfant. Ensuite, je leur demande de s'asseoir à côté de l'enfant et de se mettre à **parler tout haut** avec lui. Que veulent-ils se dire l'un à l'autre ? Qu'ont-ils besoin de se dire ?

Ce dialogue s'accompagne souvent de larmes ; souvent aussi de joie. Mais presque toujours, l'adulte réalise que l'enfant existe toujours réellement au fond de lui-même (comme un état d'esprit) et contribue à sa vie d'adulte. De cette découverte émerge une personnalité beaucoup plus riche. Souvent, le patient réalise tristement qu'il avait cru, par erreur, devoir se débarrasser de son âme d'enfant pour pouvoir devenir adulte.

Quand je travaille avec un patient dans le but de lui faire intégrer son âme d'enfant, je le soumets souvent à un petit exercice simple que vous pouvez très bien faire vous-même (si vous avez un ami qui peut vous en lire les instructions, ça n'en est que mieux. Ou alors, vous pouvez les enregistrer sur cassette et vous la passer ensuite. Ou simplement vous les lire jusqu'à ce que vous les maîtrisiez bien avant de vous lancer dans l'exercice).

➡ Pendant plusieurs minutes, **regardez des photos** de vous quand vous étiez petit (en admettant que vous en ayez, sinon, débrouillez-vous sans). Puis fermez les yeux et respirez plusieurs fois longuement et profondément pour bien vous relaxer. Ensuite, **réfléchissez** aux questions suivantes : quelle impression cela vous faisait-il d'avoir 5 ans ?... Quelle perception de votre corps aviez-vous à l'époque ?... Que ressentiez-vous quand vous étiez triste ?... Quand vous étiez joyeux ?... Comment était la vie dans votre famille ?... Dans quelle position vous asseyiez-vous ?... Asseyez-vous comme vous imaginez qu'un enfant de 5 ans le fait. Notez mentalement vos impressions. Continuez l'expérience.

Si vous vous contentiez de ne faire que cet exercice, tous les jours pendant deux ou trois semaines, non seulement vous deviendriez déjà davantage conscient de votre âme d'enfant, mais vous pourriez également l'intégrer plus profondément que vous ne l'avez fait jusqu'à présent, car vous auriez enfin commencé à la rendre tangible et à la considérer sérieusement.

Mais la méthode des terminaisons de phrases est un outil plus élaboré et plus efficace pour éveiller la conscience de votre âme d'enfant et pour vous en faciliter l'intégration.

➡ Prenez votre carnet et inscrivez chaque début de phrase en haut d'une page blanche, puis complétez-les le plus rapidement possible et sans vous critiquer.

« **Quand j'avais 5 ans...**

« **Quand j'avais 10 ans...**

« **Quand je me rappelle la façon dont le monde m'apparaissait quand j'étais petit...**

« **Quand je me souviens comment je percevais mon corps quand j'étais petit...**

« **Quand je me rappelle ce que je ressentais face aux autres...**

« **Avec mes amis, je me sentais...**

« Quand je me sentais seul, je...

« Quand j'étais content, je...

« Si je me rappelle comment la vie me semblait quand j'étais petit...

« Si l'enfant en moi pouvait parler, il dirait...

« Une des choses que je faisais étant petit pour survivre était...

« Une des façons de traiter mon âme d'enfant comme ma mère le faisait, c'est de...

« Une des façons de traiter mon âme d'enfant comme mon père le faisait, c'est de...

« Quand mon âme d'enfant se sent ignorée par moi...

« Quand l'enfant en moi se sent critiqué par moi...

« Une des façons qu'a cet enfant de me causer des ennuis est...

« J'agis à l'encontre de mon âme d'enfant quand je...

« Si cet enfant se sentait accepté par moi, il...

« Ce qui est difficile dans le fait d'accepter totalement cet enfant, c'est de...

« Si j'arrivais à mieux pardonner à cet enfant, je...

« Je serais plus gentil avec cet enfant en moi si je...

« Si je devais écouter les choses que cet enfant a à me dire...

« Si j'accepte totalement cet enfant comme une part de moi-même...

« Je suis en train de prendre conscience que...

« Quand je me vois sous cet angle...

Certains de mes patients font cet exercice plusieurs fois, à des mois d'intervalle. Mais je leur suggère alors de ne pas regarder leurs terminaisons précédentes. Et chaque fois, en effet, ils en trouvent de nouvelles qui les conduisent encore plus profondément en eux-mêmes. Ils arrivent ainsi à faire d'extraordinaires introspections et ce travail d'intégration finit par restaurer leur estime d'eux-mêmes et la mettre en valeur.

Je vous recommande vivement de pratiquer cet exercice et donc de découvrir tout ce qu'il peut vous apporter. Vous verrez à quel point un tel travail est bénéfique pour votre confiance en vous, le respect de vous-même et la sensation de former un tout.

➡ Voici un moyen pour approfondir encore le travail commencé, grâce à l'exercice ci-dessous. Reprenez le début de phrase « **Quand j'avais 5 ans...**, et ajoutez « **Une des choses dont mon âme de 5 ans a besoin et qu'elle n'a jamais réussi à obtenir, c'est...**
« **Quand mon âme de 5 ans cherche à me parler, c'est pour me dire que...**
« **Si je voulais écouter mon âme de 5 ans avec tolérance et compassion...**
« **Si je refuse d'être présent pour mon âme de 5 ans...**
A l'idée d'arriver à aider mon âme de 5 ans, je...

Puis recommencez la même série de phrases en changeant simplement l'âge : 6 ans, 7 ans, 8 ans, 9 ans, 10 ans, 11 ans et 12 ans... Vous allez ainsi faire un bien immense à votre moi intérieur.

Enfin, lorsque vous avez la sensation d'avoir bien défini votre âme d'enfant en tant qu'entité psychologique, passez à l'exercice suivant qui va vous aider à l'intégrer. Il est à la fois simple et étonnamment efficace.

➡ Grâce au travail sur l'imaginaire qui vous convient le mieux (la vue, l'ouïe, les sensations tactiles), générez face à vous la présence de votre âme d'enfant (comme j'ai demandé à Charles de le faire dans le deuxième chapitre). Ensuite, sans dire un mot, imaginez-vous en train de tenir cet enfant dans vos bras, tenez-le serré et caressez-le doucement, afin d'établir une relation de tendresse avec lui (ou elle). Laissez-le réagir ou pas. Restez doux, gentil et sûr de vos gestes. Par l'intermédiaire de vos mains, de vos bras et de votre poitrine, **faites passer le message de l'acceptation, de la compassion et du respect**.

Charlotte se nie

Je me souviens d'une patiente, Charlotte, qui avait du mal au début à pratiquer cet exercice car elle disait que son âme d'enfant était un mélange de souffrance, de rage et de suspicion. « *Elle passe son temps à s'échapper*, disait-elle. *Elle n'a confiance ni en moi, ni en personne* ».

Je lui ai fait remarquer que compte tenu de l'expérience de la petite Charlotte, sa réaction était parfaitement normale. Et j'ai poursuivi : « *Imaginez que je vienne vers vous avec une petite fille et que je vous dise :* ''*Voici quelqu'un dont j'aimerais que vous preniez soin. Elle a eu des expériences douloureuses étant petite et n'a confiance en personne. D'abord, un de ses oncles a essayé de la violer et quand elle a essayé d'en parler à sa mère, celle-ci s'est mise en colère après elle. Elle s'est donc sentie abandonnée et trahie.* (Charlotte avait vécu cela à l'âge de 6 ans).

C'est avec vous qu'elle va découvrir son nouveau foyer et sa nouvelle vie. Vous allez devoir lui apprendre à vous faire confiance et l'aider à réaliser que vous êtes différente des autres adultes qu'elle a côtoyés''. *Plus tard, vous pourrez lui parler et l'écouter, et lui laisser vous dire toutes les choses qu'elle a besoin qu'un adulte comprenne. Mais d'abord, prenez-la dans vos bras. Laissez-la se sentir en sécurité avec vous, se sentir bien avec vous. Pouvez-vous le faire ?* »

— *Oui*, a répondu Charlotte ardemment. *Jusqu'à maintenant, je l'ai toujours traitée comme tous les autres l'ont fait. Faisant semblant qu'elle n'existe pas parce que sa douleur m'effrayait. Je crois que je l'ai trop accablée aussi, presque autant que le faisait ma mère.* »

— *Alors, fermez les yeux, faites-la vivre en face de vous, puis prenez-la dans vos bras et protégez-la. Qu'éprouvez-vous ?... Je me demande ce que vous*

*aimeriez lui dire... Prenez votre temps et vivez totale-
ment cette situation.* »

Plus tard, Charlotte a fait une remarque : « *Pendant
toutes ces années, j'ai essayé d'être adulte en niant
l'enfant que j'étais. J'étais tellement honteuse, blessée,
révoltée. Mais je me suis vraiment sentie adulte pour la
première fois quand je l'ai prise dans mes bras et l'ai
acceptée comme une partie de moi-même.* »

Voilà une des façons de construire son estime de soi.

L'âme d'adolescent

Chacun de nous a été adolescent et nous portons toujours cette période en nous-même, comme une partie
de nous-même, que nous reconnaissions cette époque
de notre jeunesse ou pas.

Si nous reconnaissons et acceptons notre âme d'adolescent et lui venons en aide, ce peut être une inestimable **source d'énergie**, d'idéalisme et d'ambition, et nous
procurer un sens illimité des possibilités de la vie.

Mais si nous la répudions, l'ignorons, la désavouons
ou la nions, notre âme d'adolescent peut nous mener
à toutes sortes de comportements auto-destructeurs.

Nous pouvons nous surprendre à répondre insolem-
ment à notre patron, à n'importe quel moment, ou
avoir des relations immatures avec le sexe opposé, faites de peur et d'incertitudes. Nous pouvons agir avec
le manque de discernement dont font parfois preuve les
adolescents, ou avoir une attitude répressive et autoritaire envers une personne plus âgée, contre qui nous
éprouvons le besoin de nous rebeller.

Par ailleurs, si nous maintenons éloignée notre âme
d'adolescent, nous laissons se former en nous une fis-
sure, une brèche dans notre identité qui affecte grave-
ment notre estime de nous-même. Là encore, une

partie de notre être est en guerre contre l'autre.

On peut observer ce type de conflit dans les situations qui suivent.

« *Quand je me rappelle à quel point j'étais timide et maladroit avec les filles pendant mon adolescence, je suis vraiment gêné*, dit un médecin d'âge mûr. *Mais qui veut réfléchir à ce genre de choses ? Ce personnage médiore a-t-il un rapport avec moi ?* »

Ainsi, son âme d'adolescent attend patiemment le moment où « quelqu'un » la considérera autrement que comme un « personnage ». La seule personne qui pourrait le faire ne veut pas s'abaisser à établir une relation avec elle. L'adulte se bat pour ne pas penser à ces moments inexplicables de solitude éprouvante qui s'imposent à lui quand il s'y attend le moins.

« *A 18 ans, je voulais toujours que ma famille s'occupe de moi*, dit une mère de famille de 41 ans, *tandis qu'une autre partie ne rêvait que d'être libre. Je n'étais pas très indépendante. Je crois que je n'en avais pas le courage. Se débrouiller seule, quelle affaire ! J'oscillais entre la rébellion et le nid douillet. Quand j'y pense, j'ai une sensation de faiblesse. Je n'ai aucune tolérance pour l'indécision. Je me sens très loin de cette adolescente. Pensez-vous que si je me montre souvent impatiente avec mes filles de cet âge, c'est à cause de ça ? Je me sens loin d'elles également.* »

Ainsi, son âme d'adolescente, et ses filles adolescentes, sont laissées à l'abandon, incomprises, sans l'attention et le soutien dont elles auraient pourtant un immense besoin. Et l'adulte se bat pour être constamment active afin de ne pas ressentir cette douleur lointaine et troublante que le temps n'a pas réussi à guérir.

« *Je déteste me souvenir de la solitude que j'éprouvais à l'époque du lycée*, dit un mécanicien de 48 ans. *Je n'arrivais pas à être bien avec les autres, et pourtant, j'en crevais tellement je voulais avoir quelqu'un à qui parler. J'étais tellement… intense. Horrible ! Pourquoi vous autres psychologues éprouvez-vous le besoin d'exhumer le passé ? A l'adolescence, j'étais une larve.* »

Ainsi, son âme d'adolescent se trouve condamnée à une solitude immuable. Et l'adulte s'interroge sur un vide déroutant que rien ne pourra combler.

Une fois encore, nous assistons à des exemples de **dureté** impitoyable et intolérante, dirigée vers le « moi » de nos années d'adolescence. Ainsi, je ne peux pardonner la maladresse qui était mienne étant adolescent ; je ne peux me pardonner ma peur des filles ; ou mon avidité à rencontrer quelqu'un à qui parler ; ou la confusion immense que j'éprouvais dans presque tous les domaines ; ou mon incompétence sur un terrain de sport ou une piste de danse ; ou mon allure dégingandée ; ou ma peau ; ou ma turbulence bruyante ; ou mes confusions en matière de sexe ; ou mes oscillations entre la rébellion et la soumission ; ou ma timidité avec les autres ; ou ma passivité ; ou mes crises de délinquance ; ou ma dépendance ; ou ma pudeur maladive ; ou mon exhibitionnisme ; ou ma mégalomanie ; ou mon ignorance, mon déséquilibre ou ma vantardise.

De même que nous pouvons rejeter l'enfant que nous étions, nous pouvons aussi rejeter l'adolescent. Mais notre âme d'adolescent demeure une composante vivace de notre psychisme et le seul choix que nous avons est d'être **conscient ou inconscient** de ce moi sous-jacent, d'être **bienveillant et protecteur ou au contraire hostile et intolérant**. Allons-nous accepter et accueillir notre âme d'adolescent, ou au contraire la cantonner toute notre vie dans un rôle de paria ?

Exercices : se réconcilier avec l'ancien adolescent

Reprenons les mêmes exercices que ceux que je vous ai proposés pour entrer en contact avec votre âme d'enfant, mais adaptés cette fois à l'adolescent.

➡ Si possible, passez d'abord quelques minutes à regarder des **photos** de vous à l'adolescence. Puis fermez les yeux et faites quelques respirations longues et profondes pour vous relaxer. Concentrez-vous et **réfléchissez** aux questions suivantes : qu'est-ce qu'on éprouve à l'adolescence ?... Comment perceviez-vous votre corps à l'époque ?... Quelle était la vie dans votre famille ?... Comment vous asseyiez-vous le plus souvent ?... Asseyez-vous comme vous le faisiez alors. Notez ce que vous ressentez. Continuez l'expérience. Petit à petit va s'offrir à vous une vision plus intense de ce que vous êtes. Accueillez-la et acceptez-la avec respect.

Voici donc encore un exercice simple qui sera bénéfique pour vous si vous le faites tous les jours pendant deux ou trois semaines (après en avoir fini avec le travail sur votre âme d'enfant). En réservant **compréhension et respect** à votre âme d'adolescent, vous allez découvrir au fil des jours la sensation d'être plus « entier », mieux intégré, et jouirez d'une plus grande harmonie intérieure.

➡ Ensuite, complétez les phrases suivantes afin d'approfondir encore ce travail. Commencez une nouvelle page de votre carnet pour chacun des débuts de phrase et notez entre six et dix terminaisons.

« Quand j'ai atteint l'âge de l'adolescence...

« Quand j'avais 14 ans...

« Quand j'avais 16 ans...

« Quand je suis entré au lycée, j'ai ressenti...

« Avec mes amis du même âge, je me sentais...

« Quand j'étais adolescent, une des choses que je faisais pour survivre était de...

« A l'adolescence, quand j'étais en colère, je...

« A l'adolescence, quand j'avais du chagrin, je...'

« A l'adolescence, quand j'avais peur, je...

« A l'adolescence, quand je me sentais seul, je...

« A l'adolescence, quand j'étais enthousiaste, je...

« A l'adolescence, quand j'avais 18 ans...

« Si l'adolescent en moi pouvait parler, il dirait...

« Une des façons de traiter mon âme d'adolescent comme ma mère le faisait, c'est de...

« Une des façons de traiter mon âme d'adolescent comme mon père le faisait, c'est de...

« Quand mon âme d'adolescent se sent ignorée par moi...

« Quand mon âme d'adolescent se sent critiquée par moi...

« Une des façons qu'a mon âme d'adolescent de me causer des ennuis est...

« Si mon âme d'adolescent se sentait écoutée et respectée par moi...

« Si mon âme d'adolescent sentait que j'éprouve de la compassion pour ses luttes...

« Là où j'ai du mal, parfois, à accepter mon âme d'adolescent, c'est quand...

« Si j'étais plus tolérant envers mon âme d'adolescent...

« Si j'étais davantage à l'écoute de ses besoins...

« Une des façons dont mon âme d'adolescent pourrait intervenir dans ma vie...

« Une des choses que j'apprécie dans mon âme d'adolescent...

« Je commence à me dire que...

« Si je m'autorise à comprendre ce que j'ai écrit...

En utilisant cette méthode au cours de mes thérapies, j'ai remarqué que certains de mes patients lui résistaient farouchement car, affirment-ils, ils étaient dans une telle confusion au moment de leur adolescence, se sentaient tellement seuls et troublés qu'ils ne veulent aujourd'hui avoir aucun rapport avec cette entité. Ce qu'ils oublient, c'est que cette entité réside maintenant en eux et que c'est eux-mêmes qu'ils répudient.

Certains des débuts de phrases ci-dessus servent à éclaircir ce point. Par exemple, en complétant la phrase « **Quand mon âme d'adolescent se sent ignorée par moi...**, ils sont tout surpris de noter des terminaisons du genre *elle agit à sa guise ; elle devient rancunière ; elle m'incite à faire des choses stupides ; elle devient incroyablement méfiante ; elle me trouble ; elle m'incite à agir comme un(e) gamin(e) ; elle me rend imprudent(e) ; elle me rend irresponsable ; etc.* »

De même, en complétant les phrases « **Si j'étais plus tolérant envers mon âme d'adolescent...** ou « **Si j'étais davantage à l'écoute de ses besoins...**, voici les terminaisons qu'ils proposent : « *elle s'attendrirait ; elle serait moins suspicieuse ; elle m'aiderait au lieu de lutter contre moi ; elle sentirait qu'elle fait partie de moi ; elle me permettrait d'utiliser mon savoir ; elle ne m'entraînerait plus dans des situations impossibles ; elle serait moins rebelle ; elle serait moins morose ; etc.* »

Ces terminaisons parlent d'elles-mêmes. Nous donnons corps à un adversaire que nous ne pouvons conquérir. En revanche, en nous acceptant et en nous respectant, nous donnons corps à un ami, un allié.

➡ Comme je l'ai fait avec l'âme d'enfant, je vous propose maintenant d'autres phrases à compléter concernant l'âme d'adolescent. Commencez par compléter la phrase « **Quand j'avais 13 ans...**, et poursuivez avec les phrases suivantes. « **Une des choses que mon âme de 13 ans attend de moi et n'a jamais obtenue est...**
« **Quand mon âme de 13 ans essaye de me parler...**

« Si je voulais bien écouter mon âme de 13 ans avec tolérance et compassion...

« Si je refuse d'être présent pour mon âme de 13 ans...

« A l'idée d'atteindre mon âme de 13 ans pour l'aider... »

Ensuite, faites de même pour tous les âges jusqu'à 19 ans (et même au-delà si vous sentez que c'est important). Vous allez vous sentir plus « entier » et plus intégré que vous ne l'avez jamais été.

➡ A présent, souvenez-vous du quatrième exercice que je vous ai proposé pour intégrer votre âme d'enfant, et adaptez-le à votre âme d'adolescent. Servez-vous de votre imagination pour placer en face de vous l'adolescent que vous étiez. Réfléchissez à ce que vous pourriez tous deux éprouver, en vous observant mutuellement.

Et si vous deviez tendre vos bras en un geste d'affection et de confiance, qu'éprouveriez-vous ? Et si vous deviez le tenir dans vos bras (comme on le fait avec un adolescent, pas avec un enfant), et communiquer avec lui autrement qu'avec des mots, simplement par le contact de vos bras et de vos mains et de votre corps tout entier, faisant passer un message de compassion et de tendresse, quelle serait cette expérience ?

Faites-le et vous verrez. Soyez attentif à toute la gamme de vos émotions. Persévérez, quelle que soit la réaction de votre âme d'adolescent. En la guérissant, c'est vous-même que vous guérissez.

Je sais que cet exercice va sembler curieux à grand nombre de lecteurs. Seul dans votre chambre, instaurant une relation de tendresse avec l'adolescent que vous étiez... Quel rapport avec ce que vous êtes aujourd'hui ? Si vous faites cet exercice plusieurs fois si nécessaire, vous trouverez la réponse.

Cet exercice ne prend que deux ou trois minutes. Et pourtant, pratiqué tous les jours pendant un mois ou deux, il vous permettra de noter une différence dans votre façon d'être avec vous-même. La guerre dans laquelle vous vous êtes engagé, inconsciemment, depuis des années, va prendre fin. Si vous tenez un journal pendant cette période, et prenez la peine, à intervalles réguliers, de compléter la phrase « **Je commence à sentir que...**, vous aurez un sens plus aigu de vos progrès.

Vous engager à pratiquer ces exercices, de même que tous les précédents, va petit à petit enrichir votre estime de vous-même, parce que déjà, vous estimez valoir la peine de vous consacrer ce type d'efforts. En revanche, si vous vous sentez réticent à fournir cet effort, peut-être devriez-vous commencer par vous poser la question suivante : « **Qu'ai-je à faire de plus important ?** »

VII

VIVRE DE FAÇON
RESPONSABLE

Les hommes et les femmes qui jouissent d'une estime
satisfaisante d'eux-mêmes ont une approche de la vie
qui est active et non passive. Ils sont pleinement responsables lorsqu'ils envisagent la réalisation de leurs
désirs. Ils n'attendent pas que les autres réalisent leurs
rêves à leur place.

S'il y a un problème, ils se demandent : « *Que puis-je
faire pour le régler ?* » Ils ne passent pas leur temps à
se lamenter en disant : « *Il faut que quelqu'un fasse
quelque chose pour moi !* » Si quelque chose a mal
tourné, ils se demandent : « *Qu'est-ce que j'ai négligé ?
Où ai-je fait une erreur ?* » Mais ils ne passent pas leur
temps à se faire des reproches.

En bref, ils prennent leur propre existence en main
de façon responsable.

Et selon la relation de cause à effet dont j'ai parlé
précédemment (les actes qui entraînent une bonne
estime de soi en sont aussi l'expression), les gens qui

prennent leur existence en main de façon responsable ont tendance, par la même occasion, à générer une estime d'eux-mêmes satisfaisante. Dans la mesure où nous passons d'une approche passive de la vie à une approche active, nous nous aimons davantage, nous faisons davantage confiance, nous sentons plus aptes à vivre et avons l'impression de davantage mériter le bonheur.

Quand je travaille avec mes patients en psychothérapie, je constate souvent que les transformations les plus radicales ont lieu lorsqu'ils réalisent que personne ne va venir à leur secours. « *Personne ne vient…* » est un thème qui revient constamment, à tous les niveaux. « *Quand je me suis enfin décidé à affronter totalement mes responsabilités face à la vie*, m'ont dit un grand nombre de patients, *j'ai commencé à évoluer. J'ai commencé à changer. J'ai commencé à m'estimer.* »

L'enjeu

Etre pleinement responsable entraîne ce genre de conséquences :

• Je suis responsable de mes choix et de mes actes.

• Je suis responsable de la façon dont j'organise mon temps.

• Je suis responsable du degré de conscience que je consacre à mon travail.

• Je suis responsable du soin que j'apporte (ou n'apporte pas) à mon corps.

• Je suis responsable du type de relations que je décide d'entreprendre ou de conserver.

• Je suis responsable de la façon dont je traite les autres, ma femme (mon mari), mes enfants, mes parents, mes amis, mes associés, mon patron, mes subordonnés, le vendeur du magasin d'à côté.

• Je suis responsable du sens que je souhaite donner à mon existence.

• Je suis responsable de mon bonheur.

• Je suis responsable de ma vie, sur le plan matériel, émotionnel, intellectuel et spirituel.

Ce que je veux dire par « être responsable » dans ce contexte, ce n'est pas d'être le réceptacle de la morale, du blâme ou de la culpabilité, mais c'est d'être responsable en tant qu'**acteur primordial de votre vie** et de votre façon d'agir. C'est un point très important.

Dans mon précédent livre, *Honoring the Self*, voici ce que j'ai écrit à propos des applications de la responsabilité. « ...*Une de mes patientes en thérapie a appris à se demander* : « Pourquoi et comment est-ce que je m'arrange pour être aussi passive ? » *au lieu de se lamenter en disant :* « Pourquoi suis-je si passive ? ». *Au lieu d'affirmer qu'elle se fiche de tout, elle apprend à se demander pourquoi et comment elle se prive d'éprouver des émotions fortes dans quelque domaine que ce soit.* « Pourquoi », *dans ce contexte, signifie* « Dans quel but ? ». *Au lieu de dire* « Pourquoi ma nuque se contracte-t-elle et me fait-elle si mal ? », *la patiente apprend à se demander* « A quelle émotion est-ce que j'essaye d'échapper en contractant les muscles de mon cou ? » *Au lieu de se plaindre que les autres ont si souvent tendance à la dominer, elle apprend à se demander :* « Pourquoi et comment est-ce que j'encourage les autres à me dominer ? »

Au lieu de se plaindre que personne ne la comprend, elle se demande : « Pourquoi et comment est-ce que je m'arrange pour que les gens aient tant de mal à me comprendre ? ». *Au lieu de dire* « Pourquoi les femmes se détournent-elles toujours de moi ? », *la patiente se demande :* « Pourquoi et comment est-ce que je débrouille pour que les femmes se détournent toujours de moi ? » *Au lieu de déplorer :* « J'échoue dans tout ce que j'entreprends », *elle commence par se dire* : « Pourquoi et comment est-ce que je m'arrange pour échouer dans tout ce que j'entreprends ? »

Rester rationnel

Je ne suis pas en train d'affirmer que personne ne souffre jamais par hasard ou par la faute des autres, ou qu'une personne est responsable de tout ce qui peut lui arriver. Nous ne sommes pas omnipotents. Je ne défends pas le point de vue très vaste affirmant : « *Je suis responsable de tous les aspects de mon existence et de tout ce qui m'arrive.* »

Il y a certaines choses sur lesquelles nous pouvons exercer notre contrôle, et d'autres pas. Si je me responsabilise pour des choses qui outrepassent mon contrôle, je mets mon estime personnelle en danger car je vais inévitablement échouer dans mes prévisions. Si je renie ma responsabilité dans des domaines que je peux contrôler, je mets également mon estime personnelle en danger.

Il me faut connaître la différence entre ce qui dépend de moi et ce qui ne dépend pas de moi. Il me faut aussi savoir que je suis responsable de mon comportement et de mes actes en ce qui concerne les choses que je ne peux contrôler, comme par exemple le comportement des autres.

La responsabilité de soi, vue de façon rationnelle, est indispensable à une bonne estime de soi. Échapper à notre responsabilité nous expose en victime dans notre propre vie. Cela nous réduit à l'impuissance. Nous donnons ainsi les pouvoirs à tous les autres, sauf à nous-mêmes. Et quand nous sommes frustrés, nous cherchons quelqu'un à blâmer ; ce sont les autres qui sont responsables de notre malheur. Au contraire, avoir une bonne appréciation de sa responsabilité peut être une expérience enthousiasmante, nous laissant les pleins pouvoirs. Cela permet de sentir de nouveau notre vie entre nos mains.

Compléter des phrases éclaircit rapidement les choses.

« *Si enfin j'arrêtais d'accuser ma femme du fait que je ne suis pas heureux*, dit un agent immobilier de 45 ans, *il me faudrait affronter ma propre passivité ; il me faudrait affronter le fait que j'ai été triste presque toute ma vie ; il me faudrait reconnaître que j'ai choisi de rester avec elle alors que personne ne m'y obligeait ; je devrais admettre qu'il me faut quelqu'un à blâmer ; il faudrait que je renonce à mon contrôle sur elle ; il faudrait que j'examine scrupuleusement mes choix ; il me faudrait faire autre chose que simplement souffrir.* »

« *S'il me fallait accepter que je suis responsable de ma condition physique*, dit une jeune femme qui boit et mange trop, *je devrais arrêter de rendre mes parents responsables de tout ; il me faudrait probablement commencer à faire de l'exercice ; je ne pense pas pouvoir ainsi abuser de mon corps pendant longtemps ; je devrais m'aimer davantage ; je retrouverais une silhouette ; j'arrêterais de me fondre dans l'auto-apitoiement ; j'arrêterais de me prendre la tête à deux mains et je ferais enfin quelque chose.* »

« *Si j'avais une attitude responsable face à mes émotions*, dit une mère de famille dont les éruptions émotionnelles explosives perturbaient la vie des membres de sa famille, *il me faudrait réfléchir au fait que lorsque je me sens frustrée, je redeviens un petit enfant ; il me faudrait affronter la vraie raison pour laquelle je suis malheureuse ; je découvrirais qu'une bonne partie de ma hargne ne sert qu'à dissimuler mon sentiment d'insécurité ; je pourrais peut-être être plus honnête avec mon mari en ce qui concerne mes peurs ; j'arrête-*

rais de tourmenter les gosses ; il me faudrait admettre que je me sers souvent de mes émotions pour manipuler les membres de ma famille et leur faire faire ce que je veux ; il me faudrait accepter que les autres ont aussi des émotions ; j'arrêterais de me considérer comme une victime de l'univers. »

« *Si je prenais la responsabilité d'obtenir ce que je veux*, dit un homme de 30 ans qui n'a jamais gardé un travail pendant plus de huit mois, *il me faudrait reconnaître que le temps passe ; je devrais affronter le fait que je ne suis plus si jeune ; j'arrêterais de rêvasser et de vivre dans mes fantasmes ; il me faudrait admettre que tout ce que j'ai fait jusqu'à présent, c'est de piétiner sur place ; je devrais reconnaître à quel point j'ai peur de m'engager dans quoi que ce soit ; j'arrêterais de bâiller d'envie devant les succès des autres ; je devrais arrêter de blâmer le système ; je choisirais une direction et je m'y tiendrais ; j'arrêterais de me protéger derrière mes alibis ; je devrais reconnaître que rien ne s'améliorera tant que je ne changerai pas. »*

« *Tant que je peux reprocher à mes parents de ne pas être heureuse*, dit une institutrice de 34 ans qui a souvent changé de psychothérapeute, *je ne suis pas obligée de devenir adulte ; je peux inciter les autres à avoir pitié de moi ; je peux culpabiliser mes parents ; je peux amener les autres à penser qu'ils doivent me dédommager ; je peux me dire que ce n'est pas de ma faute ; je peux mettre mes psychothérapeutes en échec ; je peux me sentir tragique ; je peux être une victime ; j'ai des excuses pour tout. Je n'ai pas à prendre ma vie en charge. »*

« *Si je devais prendre l'entière responsabilité de ma vie*, dit un psychiatre qui prenait en charge les besoins de tout le monde sauf les siens et ceux de sa famille, *j'arrêterais de me dire que j'ai trop de travail pour être heureux ; j'arrêterais d'essayer d'impressionner mes patients avec ma gentillesse et ma compassion ; j'arrêterais de me prendre pour un martyr ; j'arrêterais*

*d'insister pour que ma femme déploie une tolérance
illimitée à mon égard ; je saurais où s'arrête ma responsabilité envers les autres ; je serais plus tendre envers
ma femme et mes enfants, et envers moi-même ; il me
faudrait reconnaître que le sacrifice de soi ne sert à
rien ; je commencerais à appliquer pour moi-même ce
que j'enseigne à mes patients ; je devrais admettre que
personne ne vit pour les autres et que, même si c'était
possible, personne ne le ferait ; j'aurais une vie plus
intègre ; je me respecterais davantage et ma famille le
ferait également. Il me faudrait réfléchir à ce que je
veux vraiment dans la vie. »*

Exercices : les pieds sur terre

➡ Si vous n'avez encore fait aucun des exercices qui
consistent à compléter des phrases, vous serez peut-être
étonné de voir avec quelle candeur les gens découvrent
ce qu'il en coûte de se soustraire à ses responsabilités.
Mais si vous désirez sincèrement améliorer votre estime
de vous-même, voici quelques phrases sur lesquelles
travailler avant d'aller plus loin :

**« Parfois, quand les choses ne tournent pas rond, je me
réduis moi-même à l'impuissance en...**

« L'avantage de me réduire ainsi à l'impuissance est...

**« Parfois, j'essaye d'échapper à mes responsabilités en
blâmant...**

« Parfois, je décide de rester passif en...

« Parfois, je me reproche de...

**« Si je prenais davantage mes responsabilités dans le
cadre de mon travail...**

**« Si je prenais davantage mes responsabilités dans mes
relations avec les autres...**

**« Si je prenais la responsabilité de chaque mot que je
prononce...**

« Si je prenais la responsabilité de mes sentiments...
« Si je prenais la responsabilité de mes actes...
« Si je prenais la responsabilité de mon bonheur...
« Si le seul sens de ma vie est le sens que je veux bien lui donner...
« Si je voulais bien respirer profondément et faire vraiment l'expérience de mon pouvoir...
« Si je voulais bien voir ce que je vois et savoir ce que je sais...
« A présent, pour moi, il est parfaitement clair que...

➡ Peut-être êtes-vous conscient que dans certains domaines de votre vie, vous vous sentez moins responsable que dans d'autres. Vous pouvez par exemple être actif et responsable à votre travail et très passif à la maison, avec votre famille. Vous pouvez vous montrer responsable par rapport à votre santé et parfaitement irresponsable quant à l'argent. Vous pouvez être très actif pour votre développement intellectuel et passif quant à vos émotions.

   Considérez ces différents domaines :
• Votre santé.
• Vos émotions.
• Le choix de vos partenaires sexuels.
• Le choix de votre conjoint.
• Votre choix d'amis.
• Le niveau de conscience et de responsabilité que vous accordez à votre travail.
• Le niveau de conscience et de responsabilité que vous accordez à vos relations avec les autres.
• Votre façon d'être avec les autres en général.
• Votre développement intellectuel.
• Votre caractère.
• Votre bonheur.
• Votre estime de vous-même.

Imaginez maintenant **une graduation de 1 à 10**, le 10 signifiant le degré de responsabilité le plus élevé, et le 1 indiquant le degré de responsabilité le plus bas.

Attribuez-vous une note pour chacun des domaines cités ci-dessus. Si vous le souhaitez, vous pouvez ne travailler que sur les domaines qui en ont le plus besoin.

A ce stade, si vous pensez à l'un ou l'autre des domaines où vous êtes le moins responsable, peut-être allez-vous vous surprendre à protester : « *Mais je ne sais pas quoi faire, je ne sais pas comment être plus responsable.* » Naturellement, c'est rarement vrai.

Au début de ma carrière, quand mes patients me faisaient cette objection, je leur indiquais ce qu'ils devaient faire pour participer plus activement à leur propre vie. L'expérience m'a prouvé les côtés fallacieux de cette approche.

Aujourd'hui, dès que les patients connaissent la technique des phrases à compléter, je leur propose généralement comme début de phrase : « **Une des façons de prendre davantage mes responsabilités en ce qui concerne tel ou tel domaine, c'est de...**, et je leur dit de la compléter le plus vite possible.

Ils apprennent ainsi à apprécier leur intelligence. J'ai constaté qu'un grand nombre de gens, de tous niveaux culturels et de tous modes de vie, complétait cette phrase de façon étonnamment profonde, et j'ai appris à écouter avec un scepticisme bienveillant leurs protestations d'ignorance et d'impuissance. Si vous vous surprenez vous aussi à émettre ce genre de protestations, je vous suggère de faire comme moi.

Naturellement, les autres peuvent parfois nous aider à prendre conscience qu'un certain type d'action est possible, mais il y a toujours quelque chose que nous savons pouvoir faire. Commencez par là.

Faire quelque chose

Accepter la responsabilité de son existence, c'est reconnaître le besoin d'avoir une vie productive. C'est une application extrêmement importante de l'idée qui suggère une approche active de la vie.

Il ne s'agit pas ici de notre degré de capacité productive, mais plutôt de **notre choix de mettre en œuvre les capacités que nous possédons.** Un travail productif est l'acte suprême d'un être humain. Les animaux se contentent de s'adapter à leur environnement. Les êtres humains adaptent leur environnement à eux-mêmes. Nous avons la capacité de donner à notre vie une unité psychologique et existentielle en faisant correspondre nos actes aux buts que nous nous sommes fixés.

Ce n'est pas le type de travail que nous choisissons qui influe sur notre estime de nous-mêmes (à moins, bien sûr, que ce travail soit défavorable à la vie humaine), mais plutôt le fait que ce travail exige, en toute conscience, la totalité de notre esprit et de notre valeur (en admettant que l'occasion de le faire existe !).

Vivre de façon productive est un moyen de se procurer les joies et les gratifications humaines les plus essentielles.

Vivre de façon responsable (et développer ainsi une saine estime de soi) est étroitement lié à une vie active. C'est à travers ses actes que l'on exprime et prouve une attitude responsable. **Que puis-je entreprendre** qui va m'aider à atteindre mes buts ? Que puis-je entreprendre pour faire avancer ma carrière ? Pour améliorer ma vie amoureuse ? Pour que les autres me traitent mieux ? Pour augmenter mes revenus ? Pour être plus heureux ? Pour avancer sur le plan intellectuel et spirituel ?

De même que pour améliorer notre estime de nous-mêmes nous avons besoin de parler en termes de comportement, pour vivre de façon plus responsable, nous avons besoin de penser en termes d'action. Par exemple, il ne suffit pas de vous dire : « *Je devrais être plus consciencieux(se)* ». Ce qui compte, c'est ce que vous pourriez faire pour l'être davantage. Il ne suffit pas de vous dire : « *Je devrais mieux me conduire envers ma famille.* » Demandez-vous par quels actes vous pourriez améliorer cette conduite.

Un comportement peut être physique ou mental. Penser est un acte ; fixer votre attention sur ce que vous êtes en train de faire est un acte ; dresser une liste est un acte ; exposer des faits à quelqu'un est un acte ; de même que caresser un visage, exprimer une appréciation, écrire une lettre, prendre conscience d'une erreur, préparer un rapport, assainir son compte en banque, ou se présenter à une place. La question est toujours la même : **le comportement est-il approprié au contexte ?** Être responsable, c'est se sentir concerné par cette question.

Par conséquent, si nous voulons devenir plus responsables dans certains domaines de notre vie, nous devons nous poser les questions suivantes : que puis-je faire concrètement dans le cas présent ? Quels sont mes choix ? Si je n'attends pas de miracles, ni que quelqu'un fasse les choses à ma place, que puis-je faire ? Si je décide de ne rien faire, d'accepter le statu quo, ai-je envie de prendre la responsabilité de cette décision ?

Exercice : voir clair dans son propre jeu

Réfléchissez à ceci : s'il existe des domaines de votre vie où vous agissez de façon plus responsable que dans d'autres, il s'agit sûrement des domaines où vous vous aimez le mieux. En revanche, ceux dans lesquels vous essayez de fuir vos responsabilités sont ceux où vous vous aimez le moins.

➡ Une fois de plus, je recommande de compléter ces phrases pour éclaircir ce point. Par exemple :

« Je suis plus responsable de moi-même quand je...
« Là où je fuis le plus mes responsabilités, c'est...

« Quand j'agis de façon responsable, je me sens...
« Quand j'évite d'agir de façon responsable, je me
sens...
« Si quoi que ce soit de ce que j'écris est vrai...
« Je suis en train de prendre conscience que...

Une fois de plus, pensez aux sept prochains jours qui
s'annoncent. Si vous deviez agir de façon plus responsable, que pourriez-vous faire différemment ? Notez
vos réponses sur un carnet.

Puis, réfléchissez aux moyens de transformer vos
écrits en actes. Il ne s'agit pas de vous engager pour la
vie, mais simplement pour les sept prochains jours,
comme une expérience. Découvrez l'impact que cela
produit sur votre perception de vous-même. Découvrez
l'impact produit sur votre vie.

Ensuite, si vous appréciez ces découvertes, essayez
encore pendant sept jours. Puis encore sept jours.

VIII

VIVRE DE FAÇON AUTHENTIQUE

Le mensonge ordinaire

Les mensonges les plus destructeurs pour notre estime de nous-mêmes ne sont pas ceux que nous racontons aux autres, mais ceux dans lesquels nous vivons.

Nous vivons dans le mensonge lorsque nous évaluons mal la **réalité de notre expérience** ou la **vérité de ce que nous sommes**.

Par exemple, je vis dans le mensonge si je prétends éprouver un amour que je n'éprouve pas ; quand je prétends être indifférent(e) alors que je ne le suis pas ; quand je me présente en me faisant mousser ; quand je dis que je suis en colère alors qu'en réalité j'ai peur ; quand je prétends être impuissant(e) alors qu'en réalité je manipule les autres ; quand je nie ou dissimule mon enthousiasme pour la vie ; quand je fais semblant d'être aveugle pour mieux nier ma lucidité ; quand je prétends avoir une intelligence que je n'ai pas ; quand je ris pour ne pas pleurer ; quand je perds du temps avec des gens que je n'aime pas ; quand je me présente comme l'incarnation de valeurs auxquelles je ne crois pas profondément ou simplement que je n'ai pas ; quand je suis gentil(le) avec tout le monde sauf avec ceux que je prétends aimer vraiment ; quand je renonce à mes croyances pour être accepté(e) ; quand je manque de modestie ; quand je sombre dans l'arrogance ; quand, par mon silence, je semble approuver des convictions que je ne partage pas ; quand je prétends aimer un certain type de personnes et passe ma vie avec un autre.

L'enjeu

Une saine estime de soi exige de la **cohérence**, ce qui implique que le moi apparent et le moi profond soient en accord.

Si je choisis de maquiller la réalité de ma personne, je le fais dans le but d'induire les autres en erreur (ainsi que moi-même). Je le fais car je crois, ou ai l'impression, que mon moi réel n'est pas acceptable. J'alimente une illusion dans l'esprit des autres, même si je sais que la réalité est tout autre. J'en suis pénalisé par le fait que je traverse la vie avec le sentiment désagréable d'être un imposteur. Cela signifie, entre autres, que je me condamne à l'anxiété liée à la peur d'être découvert.

D'abord je me regrette moi-même ; c'est implicite dans le fait de vivre dans le mensonge car je maquille la réalité de ce que je vis. Ensuite, j'évolue dans un monde où je me sens rejeté par les autres, je suis constamment à l'affût des signes de rejet et j'en décèle très vite. J'imagine que le problème réside entre moi et les autres. Je n'arrive pas à réaliser que ce que j'appréhende de pire chez les autres, je me le suis déjà infligé.

L'honnêteté consiste à **respecter la différence entre le réel et l'irréel**, pas à essayer de se faire mousser en masquant la réalité ; c'est-à-dire, sans chercher à

atteindre nos buts en prétendant que la réalité est différente de ce qu'elle est réellement.

Quand nous essayons de vivre dans le mensonge,
nous sommes toujours notre première victime, puisque
finalement, la fraude est dirigée sur nous-mêmes.

Il est évident que les mensonges ordinaires de la vie
quotidienne nuisent à l'estime de soi. « *Non, je n'ai pas
mangé trois parts de tarte aux fraises, non, je n'ai pas
couché avec Untel ou Unetelle, non, ce n'est pas moi
qui ai pris l'argent, non, je n'ai pas truqué les résultats
du test* », etc. Ces mensonges impliquent toujours que
la réalité des faits est honteuse, voire pire que cela.
C'est le message que nous nous transmettons à nous-
mêmes quand nous disons ce type de mensonge.

Mais il ne s'agit que de la malhonnêteté apparente.
Ce qui nous intéresse ici, c'est une sorte de malhonnêteté plus profonde, celle-là même qui est tellement liée
à notre survie (du moins le ressentons-nous ainsi) qu'y
renoncer semble souvent un enjeu trop énorme.

Pour éviter tout malentendu, notez que **vivre de façon
authentique n'implique pas toujours et dans tous les cas la
stricte vérité.** Cela n'implique pas d'exprimer chacun de
ses sentiments, de parler de ses émotions ou de ses actes,
sans avoir d'abord analysé le contexte. Cela n'implique
pas de raconter ses vérités personnelles sans discernement. Cela n'implique pas de donner son opinion sur
les autres ou de formuler des critiques sans en avoir été
prié, et même après l'avoir été. Vous n'avez pas à donner à un voleur des informations sur des bijoux cachés.

Éducation carcan ou croissance oblique

Il faut bien reconnaître que l'éducation, en général, s'y
entend pour alimenter la confusion en matière
d'authenticité. Et ceci pratiquement depuis le jour de
notre naissance !

La plupart d'entre nous ont été élevés d'une façon qui rend extrêmement difficile l'appréciation de l'authenticité. Nous avons appris très tôt à **nier nos sentiments**, à porter un masque, et finalement à perdre le contact avec de nombreux aspects de notre moi profond. Nous avons perdu la conscience d'une bonne partie de ce moi intérieur **pour nous adapter à notre environnement**.

Nos aînés nous encourageaient à désavouer nos peurs, nos colères et nos peines, car de telles émotions les dérangeaient. Bien souvent, ils ne savaient comment réagir quand la prétendue harmonie de la famille volait en éclats. La plupart d'entre nous ont aussi été encouragés à cacher leur joie (ou même à l'étouffer), car elle leur tapait sur les nerfs. Cela leur faisait désagréablement prendre conscience qu'ils avaient renoncé depuis longtemps à la leur. La joie rompt la routine.

Les parents inhibés, qui étouffent leurs émotions, ont tendance à élever leurs enfants sur le même modèle, non seulement par leur façon étriquée de communiquer, mais aussi par leur comportement. Ils enseignent à l'enfant ce qui est convenable, approprié et socialement acceptable.

De plus, au cours de l'enfance, comme tant de choses sont effrayantes, déstabilisantes, douloureuses et frustrantes, nous apprenons à limiter nos émotions pour nous protéger, afin de rendre la vie plus tolérable. Nous apprenons trop vite comment fuir le cauchemar. Pour survivre, nous faisons « le mort ».

« Faire le mort » nous est tellement habituel que nous trouvons cette attitude généralement normale et même souhaitable. C'est l'attitude familière, confortable, tandis qu'être plein de vie peut nous sembler étrange et nous désorienter. Et pourtant, faire le mort est nettement une politique de rejet et de mise à l'écart de soi.

Une des expériences les plus douloureuses et les plus déstabilisantes que l'on vit dans l'enfance est de **découvrir que les adultes sont des menteurs**. Ce fait peut aussi être un obstacle à la compréhension et à l'évaluation de l'authenticité.

J'ai entendu ma mère me sermonner sur les vertus de l'honnêteté, puis je l'ai entendue mentir à mon père. J'ai entendu mon père proclamer haut et fort son mépris pour quelqu'un et multiplier ensuite les flatteries devant lui. J'ai vu un professeur nier farouchement la vérité devant un étudiant plutôt que de reconnaître qu'il s'était trompé.

A ma connaissance, aucun psychologue n'a jamais étudié l'impact traumatisant des mensonges des adultes sur les enfants et les jeunes en général. Et pourtant, quand j'évoque la question en thérapie et invite mes patients à l'analyser, la plupart d'entre eux affirment que pour eux, la découverte progressive du mensonge a été l'une des expériences les plus distinctement destructrices de leur enfance.

Beaucoup de jeunes en concluent que grandir signifie apprendre à accepter le mensonge comme quelque chose de normal, c'est-à-dire avoir pour mode de vie d'accepter et d'englober ce qui n'est pas réel.

Mais si nous nous accordons cette forme de sacrifice de l'esprit, si nous acceptons de nous laisser mener par la peur, si nous attachons plus d'importance à ce que les autres croient plutôt qu'à ce que nous savons être vrai, si nous privilégions l'« avoir » sur l'« être », nous n'atteindrons pas l'authenticité. Pour l'atteindre, il faut du courage et de l'indépendance, et d'autant plus que nous rencontrons rarement ces qualités chez les autres. Mais que cela ne nous fasse pas hésiter, car si les gens qui sont authentiques sont une minorité, il en est de même des gens qui sont heureux, de ceux qui ont de l'estime pour eux-mêmes et de ceux qui savent aimer.

La relation à l'autre

Les hommes et les femmes ayant une bonne estime d'eux-mêmes entretiennent avec les autres des relations **de meilleure qualité** que ceux et celles ayant une mauvaise estime d'eux-mêmes. Mais pourtant, ces personnes ne sont pas toujours unanimement aimées, loin de là. Étant plus indépendantes que la moyenne, elles ont aussi la parole plus facile. Elles sont plus ouvertes à propos de leurs idées et de leurs sentiments.

Si elles sont heureuses et enthousiastes, elles n'ont pas peur de le montrer. Si elles souffrent, elles ne font pas semblant d'être bien. Si elles défendent des idées impopulaires, elles ne se privent pas de les exposer. Elles ont une franche et saine confiance en elles-mêmes. Et comme elles n'ont pas peur d'être ce qu'elles sont vraiment, donc de vivre de façon authentique, elles éveillent souvent l'hostilité et l'envie de la part de ceux qui sont entravés par le conformisme.

Parfois, dans leur **innocence**, elles sont étonnées par ce type de réactions et en sont même blessées. Mais elles ne renoncent pas pour autant à leurs engagements envers la vérité. Que les autres aient sur elles une bonne opinion compte moins que leur estime d'elles-mêmes. Elles apprennent simplement qu'il est préférable d'éviter certaines personnes.

Elles sont à la recherche de relations enrichissantes plutôt que nuisibles, contrairement aux personnes qui ont une mauvaise estime d'elles-mêmes et finissent toujours par se cantonner dans des relations néfastes.

Les gens ayant une bonne estime d'eux-mêmes entretiennent avec les autres des relations pleines de **bienveillance**, de respect et de dignité. Les hommes et les femmes qui cherchent à évoluer aident les autres à faire de même. Les personnes qui sont enthousiastes savent partager l'enthousiasme des autres. Les gens qui parlent sans détour apprécient de se trouver en face de gens qui font de même. Les personnes qui se sentent bien de dire « oui » quand elles ont envie de dire « oui » et « non » quand elles ont envie de dire « non », respectent le droit des autres de faire de même. Les gens qui sont authentiques arrivent à forger les amitiés les plus vraies et les plus fiables car on sait toujours où on en est avec eux et aussi parce qu'**ils incitent les autres à être authentiques à leur tour**.

En étant authentiques, non seulement nous nous honorons nous-mêmes, mais nous faisons également un cadeau à tous les gens qui nous entourent.

« *Parfois, je donne aux autres une impression fausse de ce que je ressens* », dit une patiente qui se plaint d'être incomprise, « *par exemple en souriant alors que je pleure intérieurement ; quand j'essaie d'impressionner des gens que je ne respecte pas ; quand je renie la colère que j'éprouve au fond de moi ; quand je prétends que rien ne me dérange ; quand je n'ose pas affronter les autres ; quand je fais semblant d'être d'accord ; quand je ne dis pas ce que je veux ; quand je dis oui alors que j'ai envie de dire non.* »

« *Parfois, par ma faute, il est difficile aux autres de me donner ce que je veux,* dit une patiente déplorant que personne ne se soucie de ses désirs, *notamment quand je ne leur dis pas ce que je veux ; quand je prétends que je ne veux rien ; quand j'agis comme si je me suffisais totalement à moi-même ; quand je méprise les efforts des autres pour être bons avec moi ; quand je critique tout ; quand je donne aux autres et me sers de cela pour les tenir à distance ; quand j'essaie de fuir dès que les autres m'approchent ; quand je ne cherche même pas à savoir ce que je veux réellement.* »

« *Si je voulais vraiment dire non quand j'ai envie de dire non,* dit une femme qui se plaint de ce que les autres profitent d'elle, *je me respecterais davantage ; je me demande si les gens m'aimeraient ; je me sentirais plus propre ; j'aurais plus de temps pour faire ce que je veux ; je n'en voudrais pas aux autres ; je serais plus gentille ; je ne me rebellerais pas contre des choses insignifiantes ; les autres me connaîtraient ; je crois surtout que je serais plus généreuse ; je ne me prendrais pas pour une martyre ; je serais responsable de ce qui m'arrive ; je ne blâmerais personne ; tout serait comme je veux ; je ne m'apitoierais plus sur moi-même ; j'aurais de la dignité. »*

« *Si je disais oui quand j'ai envie de dire oui*, dit un homme qui se plaint de ce que la vie est ennuyeuse, *j'aurais davantage de courage ; je prendrais plus de risques ; les gens sauraient qui je suis ; il me faudrait être honnête avec ce qui compte vraiment pour moi ; j'irais plus souvent vers les autres ; j'aurais des aventures ; je serais moins auto-protecteur ; je ne serais pas aussi prudent ; je participerais à la vie au lieu de l'observer ; une plus grande part de moi-même serait dans la réalité.* »

« *Si je ne suis pas là pour vivre en fonction de l'attente des gens*, dit une femme cherchant toujours désespérément l'approbation des autres, *je leur dirais ce que je pense et éprouve réellement ; il me faudrait trouver mes propres directions ; je devrais défendre mes opinions ; je devrais prendre la responsabilité de ma vie ; je découvrirais mes vrais amis ; peut-être pourrais-je m'appartenir ; il est temps que je me demande ce qui est réellement important pour moi.* »

« *Si j'étais plus honnête envers mes pensées et mes opinions*, dit un homme qui se sent anxieux en société, *je me demande comment les gens réagiraient ; je me sentirais davantage en sécurité ; je sais que je me sentirais plus fort ; je serais plus détendu ; je ne serais pas aussi timide ; je m'aimerais davantage ; je me ferais davantage confiance ; je ne m'en ferais pas autant quant à l'opinion des autres ; je serais moins anxieux ; j'aurais moins l'impression de me sentir un citoyen de second ordre ; je saurais que je suis membre de la race humaine...* »

« *Si j'étais plus honnête envers ce que je ressens*, dit une femme qui se plaint de ne pas avoir d'identité, *je devrais savoir ce que j'éprouve ; je crois que les autres me respecteraient davantage ; il me faudrait parfois affronter des désaccords ; je perdrais probablement quelques amis ; je serais plus intègre ; je devrais changer de mode de vie ; je ne pourrais pas dire que je ne sais pas qui je suis ; j'aurais la sensation d'avoir un centre ; je sentirais que j'existe ; je ne me sentirais plus aussi vide ; j'aurais moins l'impression d'être fausse ; cela me ferait peur ; je serais moi-même ; j'aurais un "moi".* »

Exercices : être ou ne pas être honnête

En réfléchissant sur ce qu'est une vie authentique, voici quelques points essentiels sur lesquels il faut s'interroger (certains d'entre eux peuvent se chevaucher).

• En général, suis-je honnête avec moi-même à propos de ce que j'éprouve, acceptant mes émotions, les vivant réellement, sans être forcément obligé d'agir en fonction d'elles ?

• En général, suis-je honnête avec les autres à propos de ce que j'éprouve, lorsque le contexte permet que l'on dévoile ses sentiments ?

• Est-ce que je m'évertue à être vrai et précis lorsque je communique avec les autres ?

• Est-ce que je parle sans gêne, ouvertement et directement de ce que j'aime, admire ou apprécie ?

• Si je suis blessé, en colère ou énervé, est-ce que j'en parle avec honnêteté et dignité ?

• Est-ce que je prends ma propre défense, honore mes besoins et mes intérêts ?

• Est-ce que je laisse voir mon enthousiasme aux autres ?

• Si je sais que j'ai tort, suis-je capable de le dire simplement ?

• Ai-je la sensation de montrer aux autres ce que je suis réellement ?

➡ En utilisant de nouveau **la graduation de 1 à 10**, le 10 représentant le plus haut degré d'authenticité et le 1 le plus bas, notez-vous sur chacun de ces points. Bien sûr, votre volonté d'authenticité sera mise en jeu par la façon dont vous vous noterez. Peut-être verrez-vous plus nettement les domaines dans lesquels vous avez le moins d'assurance.

Ensuite, prenez quelques minutes pour vous asseoir tranquillement, seul, et réfléchir aux mensonges dans lesquels vous vivez actuellement. Ne faites pas cela avec un ton de reproche, le but de cet exercice n'est pas d'éveiller votre culpabilité mais de **vous comprendre** avec une plus grande clarté, afin de mettre en valeur l'authenticité d'être.

Imaginez que vous êtes en train de **raconter votre vie à un ami** que vous aimez et qui veut sincèrement vous comprendre et savoir pourquoi il vous semble aussi nécessaire de vivre dans le mensonge en question (ou les mensonges). Dites à cet ami ce qui vous semble être tellement nécessaire, ayant valeur de survie, ou parlez-lui de votre manque d'authenticité. Ensuite, imaginez que votre ami vous invite à explorer vos fantasmes sur ce qui arriverait si vous arrêtiez de vivre dans le mensonge. Exprimez en détail ce que vous imaginez qu'il arriverait. Puis imaginez que votre ami vous demande s'il existe certaines conditions ou circonstances qui vous permettraient d'être plus authentique dans ce domaine, et répondez.

Ensuite, asseyez-vous tranquillement et imaginez ce que vous ressentiriez ou penseriez de vous-même si vous décidiez de vivre de façon plus authentique. Prenez bien le temps d'y réfléchir. Faites cet exercice pendant dix minutes, chaque semaine, pendant deux mois… et je peux vous garantir que vivre de façon plus authentique vous semblera de plus en plus naturel, de plus en plus souhaitable, que vous vous sentirez moins anxieux et aurez davantage confiance en vous.

➡ Vous pourrez encore mieux explorer ce territoire en complétant les phrases suivantes de six à dix manières différentes.

« **La raison pour laquelle il m'est difficile d'être honnête avec moi-même à propos de ce que j'éprouve, c'est…**

« **La raison pour laquelle il m'est difficile d'être honnête avec les autres à propos de ce que j'éprouve, c'est…**

« **Si je m'efforçais d'être vrai et précis quand je communique avec les autres…**

« **Si je parlais ouvertement des choses que j'aime, admire et apprécie…**

« **Si j'étais honnête quand je me sens blessé, en colère ou énervé…**

« **Si je voulais bien montrer aux autres mon enthousiasme…**

« **Si j'étais honnête quand je sais que j'ai tort…**

« **Si je voulais bien laisser les autres entendre la musique qui est en moi…**

« **Quand je réalise ce à quoi je renonce par peur d'être jugé et condamné par les autres…**

« **Quand je réalise ce à quoi je renonce par peur des sarcasmes…**

« **Si je voulais vraiment vivre jour après jour de façon plus authentique…**

Personne ne passe en un instant d'un état de non-authenticité à un état authentique. C'est ce que signifie la dernière phrase à compléter. Toute la question est : « *Désirez-vous vraiment découvrir ce qui arrive si,*

pas à pas, vous augmentez votre degré d'authenti-
cité ? »

Au fond de nous, quelques bribes d'authenticité ne
nous suffisent pas. Nous ne pouvons alors nous respecter car nous avons une sensation de trahison, et nous
avons raison. Mais si nous refusons d'affronter la
question, nous nous offrons une maigre compensa-
tion : « *Je n'ai pas pu faire autrement.* »

Peut-être aussi nous disons-nous : « *Ça lui est facile*
d'être honnête et direct puisqu'il a une bonne estime de
lui-même. Moi, non. » Nous oublions que vivre de
façon authentique est un des moyens de cultiver
l'estime de soi.

Pour affirmer nos désirs et nos besoins propres (sans
attendre bien sûr que quelqu'un d'autre soit responsable de leur assouvissement), même quand c'est difficile
de le faire, c'est ce qu'attend de nous notre estime de
nous-mêmes.

De même que dire la vérité sur ce que nous pensons
et ressentons, sans savoir à l'avance comment les autres
vont réagir.

De même que laisser les autres voir qui nous sommes.

De même que rester loyaux envers notre conscience,
même si nous sommes les seuls à voir ce que nous
voyons et à savoir ce que nous savons.

C'est cela l'héroïsme qui consiste à honorer son moi.
C'est aussi le chemin qui mène à une bonne estime de
soi.

Être vraiment authentique

Mais attendez un instant. Si vous considérez la distance
que vous avez déjà parcourue depuis le début de ce
livre, vous serez peut-être tenté de protester : « *Je ne*
crois pas que j'en aie tant à faire ! » Peut-être pensez-
vous qu'il vous sera juste demandé de prononcer cha-

que jour quelque parole agréable pour faire éclore votre estime de vous-même ? C'est le type même d'attitude qui entraîne une estime de soi inadéquate. « *La vie*, selon Ayn Rand, *est un enchaînement d'actions qui s'autogénèrent et se soutiennent d'elles-mêmes* », et chacune des valeurs appartenant à la vie doit être honorée et soutenue par des actes concrets. Lancer des belles phrases ou des affirmations, sans qu'elles soient appuyées par les actes, ne renforce aucunement l'estime de soi.

Si vous aviez acheté un livre intitulé *Comment être en pleine forme physique*, vous seriez sûrement assez réaliste pour savoir qu'il vous faudra de la discipline et passer aux actes. Vous répéter chaque matin devant la glace « *Chaque jour, à tous points de vue, je vais de mieux en mieux* », ne peut être suffisant. Il vous faut avoir le même réalisme en ce qui concerne la façon d'améliorer son estime de soi.

De même que vous ne serez pas toujours en forme pour travailler physiquement, vous ne serez pas toujours d'humeur à faire les exercices proposés dans ce livre. Mais en tout cas, si vous persévérez, deux choses deviendront claires pour vous : le processus deviendra de plus en plus facile à mesure que vous avancerez, et quand vous vous regarderez dans une glace, vous pourrez apprécier les résultats.

IX

AIDER LES AUTRES À AVOIR
CONFIANCE EN EUX

La dignité appelle la dignité

Alors qu'au bout du compte, chacun de nous est responsable de l'estime qu'il se porte, en ce qui concerne
les autres, nous avons le choix entre conforter leur confiance en eux et leur respect d'eux-mêmes, ou au contraire les assaillir. Les autres ont d'ailleurs le même
choix en ce qui nous concerne, nous.

Chacun de nous se souvient sûrement de certaines
occasions où quelqu'un, par son attitude, a mis notre
dignité en valeur, ainsi que la sienne. Nous nous souvenons également de situations où nous avons été traités
comme si la dignité humaine n'existait pas. Nous
savons tous ce que ces expériences opposées éveillent
comme sensations.

Pour approfondir cet exemple, chacun de nous se
souvient probablement de situations où il a fallu traiter

avec un interlocuteur dans un esprit de dignité mutuelle. Et nous nous souvenons aussi sûrement de circonstances où la peur, la souffrance ou la colère nous ont entraînés à communiquer avec quelqu'un de façon presque inhumaine, et où la dignité n'a plus eu aucun sens pour nous, pendant un moment. Et là aussi, nous connaissons les différentes sensations qu'éveillent ces deux types de situations.

Quand nous avons avec les autres une attitude réciproque digne, nous les aimons davantage, et quand nous faisons preuve de dignité, nous nous aimons davantage.

Quand nous nous conduisons d'une manière qui rehausse l'estime de soi des autres, nous rehaussons en même temps la nôtre.

Voyons quelles peuvent être ces conduites.

Écouter sereinement

Certains psychothérapeutes peuvent avoir un impact énorme sur l'estime que se portent les personnes qui viennent les consulter. Quelle que soit leur formation théorique en psychologie et les méthodes qu'ils emploient, ils arrivent, par leur présence, à conforter l'estime de soi de leurs patients en leur faisant découvrir de **nouvelles possibilités de comportement** qui ne leur avaient jamais semblé réelles jusqu'à présent.

Nous pouvons appliquer ces techniques sur notre propre façon d'agir. Il y a quelque chose d'un peu ésotérique dans leur savoir, mais l'idéal serait que tout le monde puisse y avoir accès. Mon rêve serait que ce savoir commence à être enseigné dès les petites classes.

J'interroge mes patients depuis des années (comme l'ont fait également plusieurs étudiants à l'université) sur celles de mes méthodes qui leur semblent les plus efficaces pour renforcer l'estime de soi. Certaines reviennent sans arrêt. Mais aucune d'entre elles ne m'est exclusive. Les façons d'agir que je vais décrire maintenant sont connues de tous les psychothérapeutes qui savent comment faciliter le développement de l'estime de soi.

Le tout premier impératif est d'avoir le **respect de l'autre**. C'est pour moi la base de toute psychothérapie efficace. Je le fais sentir dès le départ, dans ma façon d'accueillir mes patients quand ils arrivent à mon cabinet, dans ma façon de les regarder, de leur parler, de les écouter. Cela se traduit par de la courtoisie, le contact visuel, une absence de condescendance, de jugement moral, une écoute attentive, une application à bien comprendre et à être bien compris, une spontanéité de bon aloi, le refus d'être cantonné dans le rôle de l'autorité omnisciente, le refus de croire que le patient est incapable d'évoluer.

Le respect est primordial, quelle que soit la conduite du patient. Le message à faire passer est que tout être humain est une entité qui mérite le respect. Un patient qui n'a pas l'habitude d'être traité de cette manière sera davantage stimulé, au fil du temps, pour restructurer la perception qu'il a de lui-même.

Je me souviens d'un homme qui m'a dit un jour : « *Si je me penche sur la thérapie que nous venons de mener, j'ai le sentiment que rien de ce qui a pu s'y passer n'a été plus important que le simple fait de m'être toujours senti respecté par vous. J'ai fait tout ce que j'ai pu pour que vous me méprisiez et me jetiez dehors, je n'ai cessé de vouloir vous faire jouer le rôle de mon père, mais vous n'êtes pas entré dans ce jeu. D'une certaine façon, j'ai dû m'arranger avec ça aussi, ce qui m'a été difficile au début, mais une fois ça mis de côté, ma psychothérapie a vraiment pu commencer.* » A l'une de nos premières séances, il m'avait dit : « *Mon père parle à n'importe quel conducteur de bus avec plus de courtoisie qu'il n'en a jamais eue avec moi.* »

Quand un patient parle de ses sentiments de peur, de ses souffrances ou de sa colère, il est inutile de lui répondre en lui disant : « *Oh ! vous ne devriez pas avoir ce genre de sentiments !* » Un psychothérapeute n'est pas un joyeux animateur. Il est capital, aussi bien pour un patient en psychothérapie que pour n'importe qui d'autre, de pouvoir exprimer ses sentiments sans avoir à affronter la critique, la condamnation, les sarcasmes ou les sermons.

Le principe même de l'expression a en lui-même un pouvoir salvateur. Un psychothérapeute qui se sent gêné par les sentiments forts qu'exprime son patient doit travailler sur lui-même (elle-même). Être capable d'**écouter sereinement** quelqu'un, avec toute l'attention nécessaire, c'est la base de la psychologie. C'est aussi la base de toute amitié authentique, sans parler de l'amour.

Mettez ce constat de base en parallèle avec la façon dont certains de vos amis vous interrompent pour vous sermonner ou donner leur avis, ou changent de sujet de conversation quand vous essayez de leur faire part d'un sentiment profond. Comme si ces amis n'avaient pas confiance en vous, ou en eux-mêmes.

En tant que psychothérapeute, je considère que l'un de mes tout premiers devoirs est de savoir **créer un contexte** dans lequel les personnes qui viennent me consulter puissent exprimer leurs émotions sans crainte du ridicule ou du reproche. Mais il est évident qu'une telle politique ne devrait pas être réservée aux psychothérapeutes. Si vous admettez que créer un climat dans lequel les autres ont peur de s'exprimer en votre présence ne peut rien vous apporter, alors demandez-vous si vous savez créer ce climat d'ouverture lorsque les autres sont en contact avec vous.

Une des expériences que les gens aiment vivre en psychothérapie, et même en dehors, c'est d'être visibles, c'est-à-dire « *vus* » et « *compris* ». Peut-être se sentent-ils aliénés et invisibles depuis l'enfance, et ils ont hâte d'avoir une autre perception d'eux-mêmes. Respectant ce désir et comprenant sa légitimité, j'essaie de réagir de façon appropriée par des **interventions pertinentes** au cours de l'entretien, prouvant à mon patient qu'il a bel et bien été vu et entendu. « *Il me semble vous avoir entendu dire que...* », « *J'ai l'impression que vous ressentez...* », « *Maintenant, vous avez l'air de...* », « *Laissez-moi vous dire la façon dont je comprends votre point de vue...* »

Il s'agit naturellement d'une conversation « humaine », pas seulement d'un entretien psychothérapeutique. Nous souhaitons tous connaître une expérience de visibilité et de compréhension. Ne devrions-nous pas essayer de nous la faire mutuellement connaître ? D'arriver à ce que ce soit quelque chose de naturel lors de toute rencontre « humaine » ?

Influencer positivement

Les psychothérapeutes efficaces jugent mais ne prononcent pas de sentence. Ils jugent dans la mesure où ils affirment que certains comportements sont meilleurs que d'autres en ce qui concerne le **bonheur** futur et le bien-être du patient. Ils ne sont pas hypocrites au point de prétendre qu'ils ne possèdent pas de critères, ou n'ont pas de préférences. Mais ils ne font pas la morale et ne cherchent pas à changer le comportement de leurs patients en les culpabilisant. Par exemple, ils ne disent pas : « *Seule une personne malade serait capable d'une chose pareille* », ou « *Savez-vous à quel point vous êtes immoral ?* », ou « *Tant que vous ne prendrez pas conscience de votre dépravation, je ne pourrai rien pour vous* », ou encore « *Ce n'est pas très brillant, n'est-ce pas ?* »

En bombardant les gens avec nos évaluations sur leur personnalité, leur intelligence et ce qu'ils aiment, nous les intimidons mais ne les poussons pas à évoluer, à se faire confiance ou à se respecter. Rien ne sert non plus de les bombarder de compliments et d'éloges extravagants. Le plus souvent, cela accentue leur sentiment de médiocrité (ou d'invisibilité) puisqu'ils savent que les propos de leur interlocuteur sont inexacts. Nous pouvons apprendre à **dire ce que nous aimons** et n'aimons pas, ce que nous admirons et n'admirons pas, sans mettre d'étiquettes, attaquer ou couvrir d'éloges inappropriées. « *J'éprouve un réel plaisir lorsque vous... »*, « *J'ai de la peine lorsque vous... »*, « *Je me sens un peu gêné lorsque vous... »*, « *Vous m'avez fait réfléchir lorsque vous... »*

D'après mon expérience, les psychothérapeutes qui sont d'une aide précieuse sont compatissants mais pas sentimentaux, et aucun n'encourage la passivité ou l'apitoiement sur soi-même. Grand nombre de mes patients remarquent l'importance de cette distinction au cours de leur thérapie. Je leur demande : « *Et quelle est votre alternative à vous ? »*, « *Que pensez-vous pouvoir faire pour améliorer votre situation ? »*, « *Que souhaitez-vous faire concrètement ? »* Je me garde bien d'interrompre une personne qui commence à me parler de sa souffrance avec ce genre de questions. Mais il vient un moment où ces questions doivent être posées. Je crois qu'il entre dans mes attributions d'**inciter** mes patients **à l'action**.

Les psychothérapeutes efficaces sont gentils, mais ils ne laissent pas leurs patients leur marcher sur les pieds. Par exemple, ils ne les laissent pas empiéter sur leur vie privée en leur permettant de téléphoner à toute heure du jour ou de la nuit, pour n'importe quel motif. Ils ne se laissent pas non plus exploiter financièrement. Ils veulent que la valeur de leur temps soit reconnue. Ils répondent toujours à l'hostilité d'un patient ou à ses propos injurieux (sauf en cas de psychodrame limité dans le temps, à vertu thérapeutique). Ils indiquent des directions. Ils posent des limites. Comme le font d'ailleurs les bons parents. Comme le font aussi les amis intelligents et toute personne qui se respecte.

En faisant attention à eux-mêmes, en respectant leurs propres besoins et leur temps, les psychothérapeutes donnent l'**exemple**. Ils montrent la façon dont ils se traitent eux-mêmes et la façon dont le patient doit se traiter. Il n'y a ainsi aucun fossé entre l'égoïsme rationnel (le respect honorable de ses propres intérêts) d'une part, et la responsabilité professionnelle d'autre part.

Cela nous concerne tous. Les parents qui se sacrifient ne donnent pas le bon exemple (« *J'ai sacrifié ma vie pour toi...* »), ils enseignent simplement à leurs enfants qu'ils doivent se considérer comme des objets de sacrifice, ce qui tend à générer le ressentiment, la haine et la culpabilisation de la part des enfants. Même chose pour les amis qui se sacrifient (« *Mes besoins à moi ne comptent pas* »), ils sont un fardeau et non pas une joie.

Étudier les comportements

Je suis intimement persuadé que les comportements, même les plus indésirables d'entre eux, sont utiles pour comprendre les **modes de référence** de la personne concernée. Par conséquent, je cherche toujours à comprendre le type de comportement auquel mon patient se réfère au lieu de le rejeter comme un comportement inapproprié. Par exemple, la colère explosive d'une femme mariée, qui peut s'avérer fort déplaisante pour les témoins, révèle pourtant un constat instructif bien que pénible : rien d'autre ne peut attirer l'attention de son mari. Cette femme ne connaît aucun comportement qui pourrait mieux marcher.

Je répète quelque chose de déjà évoqué dans ce livre : nous ne pouvons comprendre quelqu'un si nous nous contentons de le classer dans les « *pourris* », les « *irré-fléchis* », les « *immoraux* », ou autres. Pour comprendre, il nous faut **connaître le contexte** dans lequel le comportement de la personne s'explique d'une certaine manière, semble souhaitable ou même nécessaire, même s'il est totalement irrationnel en apparence.

Avoir une relation personnelle avec une personne qui agit de façon inappropriée, c'est l'aider à réfléchir sur son passé, à comprendre les besoins qu'elle essaie de satisfaire en agissant ainsi, en d'autres termes, c'est lui offrir la compréhension et la compassion que nous devrions nous accorder à nous-mêmes, comme je l'ai dit dans le chapitre précédent.

« *Que ressentez-vous en ce moment ?* », « *Quelles options allez-vous prendre ?* », « *Comment pensez-vous que la personne avec qui vous avez été si dur(e) a réagi ?* », « *Que pensez-vous de cette situation ?* »

Nous ne pouvons évidemment pas user de cette politique avec toutes les personnes que nous rencontrons. Mais avec les gens que nous aimons ou ceux qui nous intéressent, peut-être même ceux avec qui nous travaillons, c'est une politique extrêmement efficace.

N'oubliez pas que la culpabilité ne sert les intérêts de personne. En disant cela, je ne cherche pas à épiloguer sur ce qu'il ne faut pas faire, ni à promouvoir l'amoralité. Il y a des moments évidents où nous devons dire : « *Votre comportement est pour moi parfaitement inacceptable* », ou même : « *Je ne souhaite pas m'associer avec vous.* » Mais si votre but est d'inciter un changement de comportement, et un renforcement de l'estime de soi pour soutenir ce changement, alors de nombreux aspects de la stratégie ci-dessus s'avéreront très utiles.

Placer haut la barre

Une des caractéristiques d'un psychothérapeute efficace, comme d'un bon professeur ou d'un bon entraîneur, c'est de savoir que ses patients (ses élèves ou ses
sportifs) disposent d'un **potentiel supérieur** à celui
qu'ils s'octroient. « *Vous ne pensez pas pouvoir comprendre quoi que ce soit à l'algèbre ? Moi, je crois que
vous le pouvez.* » « *Vous ne pensez pas pouvoir sauter
plus haut ? Essayez encore.* » « *Vous prétendez ne pas
oser agir à l'encontre de ce que pensent vos parents ?
Je crois, moi, que vous êtes capable de penser par vous-
même et de mener votre propre existence.* » En d'autres
termes, le psychothérapeute ne doit pas souscrire à la
vision négative que son patient a de lui-même. C'est un
point de la plus haute importance.

Un jour, un de mes patients, interrogé par un jeune
psychologue qui travaille avec moi, lui a fait la remarque suivante : « *Si vous me demandez quels sont les fac-
teurs qui ont été, selon moi, déterminants dans le
succès de ma thérapie, je mettrais en premier la conviction de Nathaniel que je suis capable de faire toutes sortes de choses dont je ne me croyais pas capable. Je ne
pensais pas pouvoir gagner ma vie en faisant quelque
chose que j'aime vraiment. Et pourtant, c'est ce qui se
passe maintenant. S'il m'arrivait de dire à Nathaniel
que j'étais sans espoir, il me répondait par une phrase
du genre: "Je vous entends. Est-ce que nous continuons ?"* »

Si nous voulons développer l'estime de soi de
quelqu'un d'autre, nous devons agir avec cette personne en fonction de notre propre vision de sa valeur
et de ses capacités, en l'acceptant et en la respectant.
Nous devons nous souvenir que la plupart d'entre nous
ont **tendance à sous-estimer** leurs propres ressources, et
d'avoir cela présent à l'esprit dans tout ce que nous
entreprenons. Nous sommes capables d'en faire plus
que nous le pensons.

Par exemple, nous pouvons apprendre à écouter une personne qui exprime ses sentiments, même s'ils révèlent le doute de soi et l'insécurité. Et nous pouvons écouter sans argumenter ou sermonner car nous comprenons qu'éprouver des sentiments indésirables et les reconnaître pleinement est la première chose à faire pour les transcender.

Naturellement, nous devons reconnaître qu'une personne peut parfois faire des remarques désobligeantes sur elle-même afin de nous amener à montrer notre désaccord ou à lui faire des compliments. Nous pouvons refuser d'entrer dans ce jeu en disant : « *Je me demande ce que cela vous apporte de vous dénigrer ainsi comme vous le faites.* »

Il peut sembler très difficile de continuer à croire en quelqu'un qui semble ne pas croire en lui-même. Et pourtant, le plus beau cadeau que nous puissions lui faire est de **refuser d'accepter sa médiocre perception** de lui-même, d'aller au-delà et de voir le moi profond et fort, à l'intérieur de lui-même, même s'il ne s'agit encore que d'un moi potentiel. Nous ne réussissons pas toujours. Mais nous pouvons toujours essayer. Dans le meilleur des cas, nous arriverons à sortir ce qu'il y a de mieux de la personne en question. Et dans le pire des cas, nous arriverons au moins à renforcer ce qu'il y a de mieux en nous-mêmes.

En nous efforçant d'être rationnels, justes et impliqués dans nos relations avec les autres, nous faisons passer le message suivant : votre esprit est suffisamment compétent pour pouvoir traiter avec le mien. De plus, lorsque nous sommes rationnels, justes et impliqués dans nos relations avec les autres, notre estime de nous-mêmes en tire les bénéfices.

Donner l'exemple

Ces observations sont valables autant pour nos relations avec les adultes qu'avec les enfants. Comme j'analyse précisément la relation parents-enfants dans *Honoring the Self*, je ne vais pas de nouveau m'étendre sur le sujet. Ce que j'évoque ici, ce sont des lignes directrices applicables à tous les types de relations.

Mais si vous avez des enfants, examinez de nouveau les modes de comportement que je viens de décrire et demandez-vous s'ils vous sont familiers ou non, car les enfants en ont encore plus besoin de notre part que les adultes.

« Si j'avais pu faire l'expérience d'être respecté en tant qu'enfant... » ; « Si quelqu'un avait cru en moi quand j'étais jeune... » ; « Si quelqu'un m'avait montré que mes désirs et mes sentiments avaient de l'importance... » ; « Si quelqu'un m'avait considéré comme un individu unique... ». J'ai entendu un nombre incalculable de mes patients compléter ces phrases ainsi : *« J'aurais appris à me respecter ; j'aurais pu croire en moi-même ; je prendrais mes désirs au sérieux et ferais l'impossible pour les satisfaire ; je verrais plus clairement qui je suis. »*

Plus nous travaillons sur nous-mêmes, plus nos actes semblent être appropriés. Aucun père ni aucune mère, ayant une saine estime d'eux-mêmes, ne pensent que ridiculiser son enfant est un moyen de le rendre compétent et indépendant. Aucun professeur ayant une saine estime de lui-même n'a besoin de s'entendre dire que le sarcasme n'est pas un bon outil pédagogique. Aucun cadre qui se respecte n'espère tirer le meilleur de ses collaborateurs en les traitant avec mépris. Aucun être humain ayant confiance en lui n'essaie de garder ses amis en leur imposant son autorité ou en les manipulant par l'intermédiaire de leurs sentiments d'insécurité.

Dans le cadre des relations parents-enfants, il est clair, même si rien n'est garanti, que la meilleure façon d'éveiller chez un enfant une bonne estime de lui-même est que les parents disposent déjà d'une bonne estime d'eux-mêmes (tout comme la meilleure façon d'inspirer des attitudes sexuelles saines est d'en avoir soi-même de saines). Mais on peut élargir ce principe. Si nous souhaitons apporter une contribution positive à la perception qu'ont les autres d'eux-mêmes, pas seulement les enfants, alors l'estime de soi s'installe naturellement en nous-mêmes.

La sérénité suscite la sérénité, le bonheur appelle le bonheur, l'ouverture entraîne l'ouverture. Et quand nous vivons en accord avec le meilleur de nous-mêmes, nous avons toutes les chances de tirer le meilleur des autres.

Si nous avons le courage de laisser voir aux autres notre enthousiasme, nous laissons entendre que l'enthousiasme est une valeur qu'ils peuvent aussi connaître. Si nous laissons voir aux autres avec quelle passion nous envisageons nos buts, nous évoquons implicitement leurs propres capacités à se passionner pour la recherche des leurs. Si nous honorons fièrement nos valeurs et nos intérêts propres, nous signalons aux autres qu'ils ont le droit d'honorer les leurs. Si nous sommes assez intègres pour être réellement qui nous sommes, nous pouvons susciter cette intégrité chez les autres.

Et donc, en s'honorant soi-même, on participe à l'élaboration d'une communauté de gens ayant une saine estime d'eux-mêmes. **L'individualisme n'est pas ennemi de la communauté**, mais son pilier le plus vital.

➡ Si ces idées vous semblent valables, comment allez-vous les mettre en pratique dans vos relations avec les autres au cours du prochain mois ? Et du mois suivant ?

X

A PROPOS DE L'ÉGOÏSME

On confond souvent l'estime de soi avec une forme
d'égoïsme.

Cette tendance, ancrée dans notre culture, se rencontre partout et j'ai moi-même vérifié ce malentendu lors
d'une série d'interviews pour le lancement de *Honoring
the Self*. Il existe, en effet, une tendance irréfléchie à
taxer de « narcissique » tout individu qui s'intéresse
activement à son propre développement. Le « moi »,
semble-t-il, apparaît parfois comme un mot presque
honteux.

L'estime, la remise en question et la réalisation de
soi, on peut même ajouter la quête de l'indépendance,
sont en train de devenir moralement suspectes. « *N'y en
a-t-il pas assez de cette génération du moi ?*, demandaient sans cesse les journalistes. *N'êtes-vous pas en
train d'encourager l'égoïsme ?* »

Même si l'accueil qu'ils m'avaient réservé était des
plus chaleureux, je ne pouvais m'empêcher de remarquer l'inquiétude évoquée par les simples mots « hono-

rer son Moi ». « *Et les problèmes de ce monde ?*, me demandaient-ils. *N'avez-vous pas envie d'aller au-delà des individus ? Et les relations avec les autres ?* » ou alors « *Les gens n'ont-ils pas déjà un ego sur-développé ?* »

Comme ces questions reviennent très souvent, on peut raisonnablement penser qu'elles sont présentes dans la tête de beaucoup de gens. Il faut donc en parler.

Narcissisme ou autonomie ?

Je voudrais souligner que ni dans *Honoring the Self*, ni dans aucun de mes ouvrages précédents, je n'ai fait passer le message : « *Moi d'abord, qu'importe le droit des autres.* » Au contraire, je me suis toujours appliqué à étudier les relations entre l'estime de soi et le bien-être humain, individuellement et socialement. Au fil de mes recherches, je me suis rendu compte que les valeurs de l'individualisme et le respect de ses propres intérêts offraient la meilleure base possible pour pouvoir **coopérer** en société, pour la bienveillance et le progrès.

Demandez-vous avec qui vous aimeriez vivre dans ce monde. Avec les gens qui respectent votre droit à l'existence ou ceux qui vous traitent comme un objet de sacrifice. Avec les gens qui jouissent d'un sens profond de leur identité personnelle ou avec ceux qui attendent que vous leur en fabriquiez une ? Avec les gens qui prennent la responsabilité de leur existence ou avec ceux qui essaient de vous repasser cette responsabilité ? Telles sont, bien sûr, certaines des conséquences sociales d'une haute ou d'une médiocre estime de soi.

Repli ou engagement ?

Il est très facile de taxer de narcissisme les gens qui parlent de cultiver leur développement personnel ou de cultiver leur estime d'eux-mêmes. C'est facile car on trouve le narcissisme partout. Mais l'individualisme, l'estime de soi, l'autonomie ou le développement personnel ne sont pas des signes de narcissisme.

Le narcissisme se caractérise par un repli sur soi excessif et malsain qui vient d'un sentiment profondément ancré de déficience intérieure et de dépossession de soi. Ironiquement, les défauts généralement relevés chez les personnes ayant un ego très fort (la mesquinerie, l'attitude offensive et offensante) sont en fait des particularités propres aux egos faibles.

Je ne peux pas croire qu'une personne rationnelle suggère que la remise en question de soi, c'est-à-dire la mise en jeu de nos possibilités, puisse se faire sans une totale implication de soi et un engagement certain dans ses relations avec les autres. « *N'est-ce pas mon intérêt,* ai-je demandé à mes interlocuteurs, *que je puisse trouver des gens que je puisse aimer, respecter et admirer ? N'est-ce pas mon intérêt que de vivre dans un monde meilleur, plus sain et plus sûr, et d'essayer de créer un tel monde ?* »

Se polariser sur le moi et les autres, ou sur le moi et le monde, n'a aucune consistance réelle. En fait, il est absolument évident que plus un individu bénéficie d'une haute estime de lui-même, et plus il est vraisemblable qu'il traite les autres avec respect, gentillesse et bienveillance.

Les gens qui ne savent ce que c'est que de s'aimer sont incapables, ou presque, d'aimer les autres. Les gens qui souffrent d'un sentiment d'insécurité ou qui doutent d'eux-mêmes ont tendance à considérer les autres humains comme effrayants et hostiles. Les gens qui ont une faible estime d'eux-mêmes, voire inexistante, n'ont aucune contribution à apporter au monde.

Obéissance ou respect ?

En considérant tout cela, nous devons nous demander :
« *Pourquoi les concepts d'estime et de remise en question de soi, c'est-à-dire la poursuite des buts personnels, font-ils peur à certaines personnes ? Pourquoi seuls les buts reconnus par la société sont-ils respectables ?* »

La réponse, je crois, réside dans l'échec d'un grand nombre de gens, n'arrivant pas à se libérer d'une certaine éthique autoritaire qui place le concept du « bien » en dehors de l'individu, c'est-à-dire en dehors de vous. Ce point de vue se retrouve dans de nombreux contextes et de multiples façons : en famille, à l'école, à l'église, et certainement au gouvernement.

En fait, presque tous les systèmes d'éthique ayant une certaine influence sur le monde ne sont que des variations sur le thème du renoncement de soi et de l'abnégation. Tandis que l'altruisme est considéré comme une vertu, l'égoïsme est synonyme du « mal ». Dans ces systèmes, l'individu est toujours la victime, arraché à lui-même, obligé de se sacrifier pour une valeur soi-disant plus « haute » : le pharaon, l'empereur, le roi, la tribu, le pays, la famille, la foi, la race, l'état, le prolétariat, la société (ou la planète).

Nous comprendrions mieux que tant de gens désirent se soumettre à une autorité quelconque, dont les lois autorisent parfois des atrocités, si nous arrivions à nous souvenir comment nous avons tous, ou presque tous, été mis en contact pour la première fois avec la notion de « *bien* ».

« *C'est un bon garçon, il fait attention à moi* ». Ou « *C'est une bonne fille, elle fait ce qu'on lui dit de faire.* » Depuis le début, on nous enseigne que la vertu ne consiste pas à honorer ses besoins personnels, ses désirs et à exploiter ses possibilités, mais plutôt à satisfaire les attentes des autres.

« *Vivre pour les autres* » est une doctrine essentielle

de la moralité, et tous ceux qui la proclament s'intéressent davantage à l'obéissance qu'à l'estime de soi. En tant que psychologue, je n'ai jamais rencontré de cas où cette doctrine n'ait pas eu un effet désastreux sur le bien-être mental et émotionnel de mes patients.

Aujourd'hui, avec la montée du féminisme, les femmes sont en train de prendre conscience que cette doctrine ne sert qu'à manipuler et exploiter les individus. Imaginez leur réaction si un conférencier disait devant un groupe de femmes modernes : « *Ne pensez pas à vos besoins et vos désirs, ne pensez qu'aux besoins et désirs des personnes de votre entourage. L'abnégation est la plus grande des vertus* » ! Les hommes, eux aussi, doivent jeter un regard neuf sur cette doctrine car elle affecte également leur vie. Ce n'est pas une question de sexe, le problème est général.

Ce qu'il y a de regrettable, c'est que beaucoup d'hommes et de femmes, luttant pour arriver à se réaliser, se sentent intimidés devant les accusations d'égoïsme. Mais si « *l'égoïsme* » signifie « *être concerné par ses propres intérêts* », alors oui, bien sûr, construire son estime de soi et veiller à son développement personnel sont des actes d'égoïsme. Même chose pour le souci de se préserver en bonne condition physique, mentale et intellectuelle. Même chose pour la recherche du bonheur. Et pourquoi pas la prochaine bouffée d'air que vous allez respirer !

Si tout cela est « mal », comment allons-nous exister ? Nous ne pouvons répudier le « moi » sans répudier aussi la vie.

Afin d'avoir une vie réussie, donc, nous avons besoin d'une éthique sur l'intérêt rationnel de soi. Tant que nous ne serons pas prêts à respecter le droit d'un individu à vivre sa propre vie, tant que nous ne comprendrons pas que **chaque individu, nous inclus, est une fin en lui-même** et pas un moyen au service des autres, nous ne pourrons avoir une réflexion claire sur notre propre existence ou sur les conditions du bonheur.

Tant que nous ne voudrons pas honorer notre moi et proclamer fièrement notre droit de le faire, nous ne pourrons lutter pour acquérir une bonne estime de nous-mêmes, et ne pourrons d'ailleurs l'acquérir.

XI

RÉSUMÉ : L'IMPACT
DE L'ESTIME DE SOI

Comment améliorer son estime de soi ? Résumons les points essentiels.

• Nous devons nous souvenir que notre estime de nous-mêmes ne se détermine pas par nos succès dans la vie, notre apparence physique, notre popularité ou quelque autre des valeurs qui ne dépendent pas directement de notre volonté. C'est au contraire une **conséquence de notre rationalité, de notre intégrité et de notre honnêteté,** qui sont directement sous le contrôle de notre volonté, des interventions de notre esprit, dont nous sommes responsables.

➡ Voici quelques phrases à compléter qui vont vous aider à savoir où vous en êtes actuellement à ce sujet. Cet exercice et les suivants vont vraiment vous indiquer ce que vous avez tiré jusqu'à présent de ce livre, et vous signaler les points sur lesquels vous devez encore travailler.

«Si j'examine les critères sur lesquels je me juge moi-même...

«Si je décide de comprendre sur quoi repose mon estime personnelle...

«Une des choses que je peux faire pour améliorer l'estime que je me porte...

• Puisqu'une estime positive de soi est le sentiment, l'expérience et la conviction d'être approprié à la vie et à ses challenges, et puisque **notre esprit est l'outil de base de notre survie**, le pilier central d'une saine estime de soi est le choix d'une vie en pleine conscience (c'est-à-dire rationnelle, honnête et intègre). Vivre en pleine conscience, c'est vivre de façon responsable vis-à-vis de la réalité, c'est vivre dans le respect des faits, la connaissance, et la vérité, c'est générer un niveau de conscience approprié à nos actes.

➡ «Si je m'autorise à comprendre ce que veut dire vivre en pleine conscience...

«Si je ne suis pas encore complètement prêt pour vivre en pleine conscience...

«Si je voulais vraiment savoir ce que je fais quand j'agis...

«Si je voulais vraiment voir ce que je vois et savoir ce que je fais...

• L'acceptation de soi est le refus de nier ou de désavouer certains aspects de nous-mêmes : nos pensées, nos émotions, nos souvenirs, nos traits physiques, notre personnalité, nos actes. L'acceptation de soi est le refus d'être en guerre avec notre propre expérience. C'est la base de toute évolution et de tout changement. Au sens ultime, c'est le courage d'exister pour nous-mêmes. Le niveau de l'estime que nous nous portons ne peut dépasser celui de notre acceptation de nous-mêmes.

➡ «Au fur et à mesure que j'apprends à m'accepter...

«Une des choses qu'il me faut apprendre pour m'accepter, c'est...

«A mesure que je cesse d'être en guerre avec moi-même...

«A mesure que je respire avec ce que je ressens, au lieu de résister contre...

«A mesure que j'apprends à m'approprier mes actes...

«Je suis en train de prendre conscience que...

• Pour protéger notre estime de nous-mêmes, nous devons savoir comment affirmer notre façon de nous comporter. Cela implique, d'abord, d'être certains que les critères selon lesquels nous nous jugeons sont réellement **les nôtres**, et pas ceux des autres auxquels nous nous sentons obligés de nous conformer.

Ensuite, nous devons soutenir cette affirmation par une **attitude honnête** et attentive aux autres, un désir de prendre en compte le contexte et les circonstances de nos actes, ainsi que les options et alternatives qui nous semblent être favorables.

Dans les domaines où nous nous sentons véritablement coupables, et à juste titre, nous devons entamer une procédure particulière pour **résoudre** cette culpabilité plutôt que d'en souffrir passivement.

➡ «S'il s'avère que vivre dans la culpabilité est inutile...

«Si je voulais vraiment me pardonner...

«Quand je cherche à comprendre pourquoi j'agis ainsi...

«A mesure que j'apprends à vivre selon mes critères...

• Nous devons apprendre **à ne jamais nous excuser pour nos qualités,** nous les reprocher nous-mêmes ou les désavouer. Nous devons avoir le courage de nos forces et en tirer profit. Autrement, nous trahissons notre estime de nous-mêmes.

➡ « Si je refuse de m'excuser pour mes qualités...
« Si je suis honnête à propos de mes atouts...
« Si j'éprouve du plaisir à être moi-même...
« Si j'admets que je m'aime...

• Nous devons **reconnaître notre moi profond**, devenir ami avec lui, dialoguer avec lui, et finalement l'englober de façon à nous sentir entiers, indivisibles et intégrés en nous-mêmes.

➡ « A mesure que j'apprends à englober mon âme d'enfant...
« A mesure que j'apprends à englober mon âme d'adolescent...
« Si je désavoue la personne que j'ai été autrefois...
« Si j'avais une attitude amicale avec tous les aspects de moi-même...
« Je suis en train de m'apercevoir que...

• Il faut vivre de façon active plutôt que passive, afin de prendre la responsabilité de nos choix, de nos sentiments, de nos actes et de notre bien-être, prendre la responsabilité d'assouvir nos désirs, être responsable de notre propre existence. Tout comme l'indépendance, **la productivité** est une des vertus de base de l'estime de soi, le travail étant un des moyens concrets par lesquels se manifeste la responsabilité de soi.

➡ « Si je prends l'entière responsabilité de mes actes...
« Si je prends l'entière responsabilité de ce que je dis...
« Si je continue à blâmer les autres...
« Si je continue à me prendre pour une victime...
« Si j'accepte que mon bonheur dépende de moi...

• La confiance en soi et le respect de soi-même sont confortés par une vie authentique. Ça veut dire avoir le courage d'être qui nous sommes, de préserver l'harmonie entre notre moi intérieur et celui que nous affichons. Au sens propre, cela signifie vivre en osant s'affirmer ; **affirmer ce que nous pensons, nos valeurs et nos sentiments.** Nous ne devons pas nous cantonner dans les profondeurs du non-dit et du non-vécu.

➡ **« A mesure que je deviens plus honnête à propos de ce que je pense et de ce que je ressens...**

« A mesure que je deviens honnête avec mes désirs...

« Si je repense à certains des mensonges dans lesquels j'ai vécu ou vis encore aujourd'hui...

« Dès que je suis prêt à en finir avec ces mensonges...

« S'il me faut du temps pour apprendre à vivre de façon intègre...

« Si je voulais vraiment me donner le temps d'apprendre...

« Si je voulais vraiment laisser entendre aux autres ma musique intérieure...

« Si je voulais vraiment montrer aux autres qui je suis...

« A mesure que j'apprends simplement à être moi-même...

• En aidant les autres à renforcer leur estime d'eux-mêmes, nous renforçons la nôtre. Ainsi, l'estime de soi est confortée par la **bienveillance envers les autres.**

➡ **« Si je traite les autres avec respect et bienveillance...**

« Si j'offre aux autres la bonne volonté que j'aimerais qu'ils me donnent...

« Si je m'autorise à comprendre vraiment tout ce que je viens de lire...

« Si j'accepte que peut-être, je ne suis pas encore tout à fait prêt à assimiler ce savoir...

« Si je me donne la permission d'évoluer à mon propre rythme...

« Et si c'était le début d'une grande aventure...

• Il nous faut comprendre que l'estime de soi, en tant qu'idéal éthique et psychologique, est la valeur suprême de la vie de tout individu. Elle repose sur l'idée que **chaque être humain est une fin en soi**, et elle s'oppose à l'idée du renoncement à soi et de l'abnégation. Elle indique comme ligne directrice la défense des intérêts propres de chacun, pourvu qu'ils soient rationnels.

➡ « Si je n'existe pas pour servir les autres... »

« Si les autres n'existent pas pour me servir... »

« Si ma vie m'appartient réellement... »

« Si véritablement j'ai le droit d'exister... »

« Si le sacrifice de moi-même n'a aucune incidence sur l'estime que je me porte... »

« Si cela demande du courage d'être honorablement égoïste... »

« Je suis en train de prendre conscience que... »

Au début du livre, nous avons constaté que tous les comportements mentionnés ci-dessus à la fois génèrent une bonne estime de soi et en sont une manifestation, une cause et une conséquence, une relation réciproque de cause à effet.

Comment pouvons-nous améliorer notre estime de nous-même ? En adoptant ces comportements. En choisissant de vivre en pleine conscience, en s'acceptant soi-même, en devenant responsables, authentiques, bienveillants avec les autres, et en restant intègres.

En agissant de la sorte, nous sommes grandement récompensés, mais cela n'exclut pas certains enjeux. Quel que soit le degré d'estime que vous vous portez actuellement, et la vie que vous vous êtes créée, vous appréciez peut-être le confort familier de ce qui vous est connu, et peut-être réalisez-vous qu'il va vous falloir affronter l'inconnu pour renforcer votre estime de vous-même.

« *Si je me porte en meilleure estime*, me disent mes patients, *comment puis-je savoir ce qui va m'attendre ? Est-ce que je serai toujours amoureux de ma femme ? Est-ce que mon travail sera supportable ? Mes centres d'intérêt vont-ils changer ? Mes amis vont-ils m'en vouloir ? Vais-je me retrouver tout seul ? Il est vrai que je n'aime pas toujours ce que j'éprouve, mais au moins, ce sont des émotions familières. J'y suis habitué, même lorsque j'ai des bouffées d'angoisse et suis dépressif. D'une certaine façon, je contrôle la chose. Mais si j'avais une meilleure estime de moi-même, je ne me reconnaîtrais plus. Pourrais-je alors me sentir en sécurité ?* »

CONCLUSION

Un saut dans l'inconnu

En faisant les exercices de ce livre, et en adoptant dans votre vie les comportements auxquels ils font allusion, vous allez vite constater une plus grande confiance en vous-même et allez vous respecter davantage, mais peut-être aussi vous sentirez-vous désorienté par moment.

Dans cette période de transition entre votre ancienne perception de vous-même et la nouvelle, même si elle s'améliore et s'avère plus heureuse, il se peut que vous ressentiez une sorte d'anxiété. Mais si vous persistez dans vos recherches et dans l'acquisition de nouveaux comportements, et ne vous réfugiez pas dans les anciens, vous serez bientôt tout à fait à l'aise dans votre nouvelle perception de vous-même et l'anxiété disparaîtra.

Ces principes s'appliquent à l'estime de soi en général, mais aussi à toutes les conduites spécifiques qui améliorent l'estime de soi. Par exemple, au fur et à mesure que nous apprenons à vivre plus consciemment, ou à nous accepter davantage, nous pouvons à la fois jouir de l'expérience et la trouver étrange, comme si nous partagions notre corps avec une personne que nous ne sommes pas sûrs de connaître. **Pouvoir accepter d'être parfois un peu désorienté, comme une des conséquences inévitables de notre évolution,** et vouloir tolérer cette sensation jusqu'à ce que s'installe une nouvelle perception du « normal », est un point essentiel pour réussir le changement.

C'est un de mes patients qui a peut-être le mieux exprimé ce problème il y a quelques années : « *Nathaniel, je n'ai pas eu d'angoisse depuis une semaine et cela me rend nerveux !* »

J'ai vu des patients mettre en pratique les principes indiqués dans ce livre, se débarrasser entièrement ou presque de leur dépression, et se laisser tomber inexorablement dans l'autodestruction. Ils restaient attachés à une perception caduque d'eux-mêmes planant au-dessus de leur expérience actuelle. Pendant des années, ils s'étaient considérés comme de malheureuses victimes. Toute leur vie était organisée autour de cette perception d'eux-mêmes, y compris leurs relations avec les autres.

« *Quel sens a ma vie si je ne souffre pas ?* », les ai-je entendu dire. « *Si je ne suis pas malheureux, comment agirai-je avec les autres ? Qu'est-ce que je leur dirai ou ferai ? Je ne sais pas ce que c'est que d'être heureux ! En plus, si je ne suis pas heureux, je n'ai rien à perdre, on ne peut rien me prendre, tandis que si je suis heureux...* »

C'est là un exemple de « l'inconnu » dont je parlais il y a un instant. Un territoire inconnu dans lequel nous entrons dès que nous commençons à mieux nous estimer.

Et il n'y a pas que cela, il y a aussi **la réaction des autres** face à notre changement. Si nous faisons preuve d'une plus grande assurance qu'auparavant, si nous montrons que nous nous respectons davantage, si nous sommes plus ouverts, plus spontanés, plus chaleureux et moins sur la défensive, peut-être alors l'attitude des autres envers nous ne conviendra plus car elle ne sera plus adaptée à ce que nous sommes en réalité. Et eux aussi peuvent se sentir désorientés. Deux possibilités se présentent : soit ils ajusteront leur comportement au nouveau moi que nous leur présentons, intelligemment ou pas, soit ils tenteront de nous faire replonger dans notre ancienne perception de nous-mêmes. Là encore, nous sommes en territoire inconnu.

Notre résistance au changement peut nous empêcher de faire les exercices ou de mettre en pratique les principes indiqués dans les chapitres précédents. Il nous faut combattre l'inertie et la peur. Quelles vont être nos récompenses si nous acceptons ces sensations, sans toutefois nous y plier, mais en restant au contraire déterminés à consolider notre confiance en nous, à davantage nous respecter et à être heureux de vivre ?

Les enjeux

Au niveau de l'expérience intérieure, la réponse est claire à présent. Ces récompenses vont être de croire davantage en nous-mêmes, d'apprendre à nous aimer, d'éprouver plus de joies dans le fait d'exister et une plus grande fierté quant à ce que nous accomplissons par nous-mêmes.

De surcroît, si vous améliorez votre estime personnelle :

• Votre visage, vos attitudes, votre façon de parler et de vous mouvoir refléteront votre plaisir d'exister.

• Vous constaterez que vous êtes plus à l'aise pour parler honnêtement et sans détour de vos réussites et de vos erreurs, puisque vous aurez une relation saine avec la réalité des faits.

• Vous trouverez probablement que vous vous sentez plus à l'aise pour faire des compliments ou en recevoir, donner des marques d'affection et dire ce que vous pensez.

• Vous aurez tendance à être davantage ouvert à la critique et plus à l'aise lorsqu'on vous signalera vos erreurs, car votre estime de vous-même n'est pas liée à une image de « perfection ».

• Vos mots et vos gestes seront plus libres et spontanés, puisque vous ne serez plus en guerre avec vous-même.

• L'harmonie entre vos paroles, vos actes, votre apparence physique, vos expressions et vos mouvements, sera de plus en plus évidente.

• Vous allez constater que, de plus en plus, vous adopterez une attitude d'ouverture et de curiosité envers les idées neuves, les expériences et les possibilités nouvelles offertes par la vie, puisque votre existence est maintenant une grande aventure.

• L'anxiété et les sentiments d'insécurité, s'ils se présentent, auront moins de prise sur vous puisque les comprendre et les dépasser vous semblera beaucoup plus facile. Il y a toutes les chances pour que vous perceviez mieux les aspects humoristiques de la vie, aussi bien en ce qui vous concerne qu'en ce qui concerne les autres.

• Vous aurez une plus grande souplesse pour réagir aux situations et aux enjeux de la vie, grâce à un esprit inventif et joueur, puisque vous aurez confiance en votre esprit, et ne considérerez plus la vie comme une chose monotone, vouée à l'échec.

• Vous serez plus à l'aise avec les autres et vous vous affirmerez plus facilement (sans agressivité) car vous aurez envie de dire ce que vous pensez.

• Vous vous montrerez plus digne en période de stress, car être attentif à ce que vous ressentez sera désormais une chose naturelle pour vous.

Vos valeurs en ce qui concerne les autres, le travail ou les loisirs vont-elles changer ? C'est presque inévitable. Connaîtrez-vous encore des périodes de conflit, de crise, ou aurez-vous de difficiles décisions à prendre ? C'est évident, tout cela fait partie intégrante de la vie. Mais allez-vous sentir qu'il y a en vous de plus grandes ressources pour réagir à ces enjeux ? Le oui est catégorique.

Même **sur le plan physique,** vous noterez des modifications lorsque vous aurez une plus grande confiance en vous-même et vous respecterez davantage :

• Vos yeux seront plus alertes, plus brillants et plus vivants.

• Votre visage sera plus détendu et votre teint sera plus naturel et plus uni.

• Votre menton sera plus audacieux.

• Votre mâchoire sera moins crispée.

• Vos mains seront plus libres, gracieuses et tranquilles.

• Vos bras adopteront naturellement une position relaxante.

• Votre silhouette sera posée, équilibrée et bien droite.

• Votre démarche sera assurée (sans être agressive ni arrogante).

• Votre voix sera plus modulée et s'adaptera toujours aux circonstances ; votre prononciation sera claire.

Petit à petit, tous ces points seront de plus en plus flagrants. De nombreux observateurs ont d'ailleurs noté ces modifications physiques et psychologiques chez des hommes et des femmes jouissant d'une saine estime d'eux-mêmes.

Vous allez rapidement constater qu'une détente salutaire s'installe de plus en plus. Cette détente s'explique par le fait que vous ne vous cachez plus à vous-même et n'êtes plus en conflit avec ce que vous êtes réellement. En effet, les tensions chroniques transmettent un message de scission interne, une sorte d'évitement ou de répudiation de soi, un aspect du moi étroitement bridé ou carrément désavoué.

Si les traits physiques et psychologiques dont j'ai parlé s'installaient en vous de façon naturelle, demandez-vous l'impact que cela aurait sur votre expérience d'exister. Demandez-vous ce que cela changerait à votre façon d'aimer et d'être aimé. Demandez-vous en quoi cela influerait sur votre travail, sur vos ambitions et les buts que vous comptez atteindre.

Une meilleure estime de soi apporte de grands changements. Dès que vous commencerez à les percevoir clairement, vous saurez que cette recherche sur vous-même valait la peine d'être entreprise.

En vous engageant dans ce voyage, vous réalisez qu'il a déjà commencé.

Table des matières

Au catalogue
Marabout

Voie positive

Psychologie

Psychologie / Psychanalyse

Psychologie et personnalité

Santé - Forme

IMPRESSION : BUSSIÈRE S.A., SAINT-AMAND (CHER). — N° 3090
D. L. NOVEMBRE 1992/0099/347

ISBN 2-501-0787-0

Imprimé en France